Saggi

SOLFERINO I LIBRI DEL CORRIERE DELLA SERA

BEPPE SEVERGNINI
Italiani si rimane

SOLFERINO

℘

SOLFERINO
I LIBRI DEL CORRIERE DELLA SERA

www.solferinolibri.it

© 2018 RCS MediaGroup S.p.A., Milano
Proprietà letteraria riservata

ISBN 978-88-282-0007-9
Prima edizione: ottobre 2018

Italiani si rimane

Per Angelo e Carla, che mi hanno lasciato fare.
Per Antonio, sperando di essergli utile.
Per Ortensia, che è indispensabile.
Per Bruno, appena arrivato.

Bisognerebbe tradurre se stessi
trovare un buon editore
per poi tagliare un po' i discorsi
che col tempo sono solo rumore.

Carlo Fava – Gianluca Martinelli
Una bellissima ragazza

1
Lezioni di volo

Miss Body Leopardo

Il mio primo articolo è uscito domenica 21 gennaio 1979 su «La Provincia» di Cremona. Avevo ventidue anni e frequentavo il terzo anno di università a Pavia. Il direttore si chiamava Mauro Masone. Lo avevo perseguitato al telefono per mesi, finché mi aveva detto: «Prova a scrivere qualcosa». Argomento: la grande nevicata a Crema. Mi sembrava il titolo di un tema delle elementari, ma ho fatto finta di niente. Gli ho mandato un pezzo intitolato *Carrozzieri a Tahiti*, dove spiegavo che quei bravi artigiani, rimettendo in sesto le automobili che la gioventù cremasca sfasciava facendo sci nautico sulla neve, erano destinati ad arricchirsi, e avrebbero potuto permettersi una vacanza in Polinesia.

Il direttore Masone non ha battuto ciglio. Ha pubblicato e, forse perché mi piaceva il freddo, mi ha chiesto di raccontare i campionati cremaschi di sci, appuntamento sportivo e mondano che si svolgeva quell'anno nella località di Borno, in Val Camonica. Gli ho spedito un pezzo in cui descrivevo la lotta feroce tra le mamme dei concorrenti, che non sapevano sciare, ma si detestavano in modo competitivo. La gara – l'unica interessante – era tra loro.

Il direttore ha espresso alcune perplessità – perché, di grazia, non facevo mai quello che mi veniva chiesto? – e ha fatto trascorrere qualche settimana, lasciandomi scrivere quello che volevo. Poi, all'inizio di maggio, mi ha convocato a Cremona e mi ha chiesto di occuparmi delle elezioni in arrivo. Ho accettato con entusiasmo. L'articolo iniziava così:

Mi hanno detto: «Severgnini, è tempo di elezioni, smetti di scrivere stupidaggini e parlane un po', che è meglio». Confesso d'esser rimasto sorpreso: non pensavo che queste elezioni potessero interessare i giornali. Diamine, prima mi dicono: «Beppe sii serio quando scrivi», e poi vengono a chiedermi certe cose. Comunque, sono andato.

Un sabato sera, fingendo di aver frainteso le istruzioni, mi sono presentato all'elezione di Miss Body Leopardo, in programma presso la discoteca OK Club di Bagnolo Cremasco, dove non credo avessero mai ricevuto la richiesta di accredito di un giornalista. Erano elezioni anche quelle, in fondo.

Non ero un frequentatore abituale di discoteche. Ma negli anni della *Febbre del sabato sera* era impossibile evitarle. Diciamo che ci andavo di tanto in tanto, rimpiangendo ogni volta d'esserci andato. Somigliavo poco a John Travolta; nel corteggiamento credevo che la mia arma migliore fosse la conversazione, e mi davo ogni volta dell'imbecille per essere finito, a pagamento, in una bolgia dove era impossibile parlare. Quella volta, però, era diverso. La serietà dello scherzo – confondere le miss con gli onorevoli – mi impediva di mischiare il dovere col piacere. Avrei privilegiato risolutamente il piacere, che era quello di scrivere un articolo per «La Provincia». Il dovere di un ventiduenne – ammirare le ragazze – poteva aspettare. Le ragazze con il body leopardo, oltretutto, non sono mai state il mio tipo.

La discoteca OK Club si trovava sulla Paullese, la statale per Milano. Scritte al neon, parcheggio affollato di muscoli e tacchi a spillo. Ho chiesto aiuto a un amico, Emilio, che si è presentato con un baule a tracolla: era convinto che lo facesse sembrare un vero fotoreporter, non uno studente d'Ingegneria del Politecnico.

Le candidate erano nove. Presentava la serata un baffuto quarantenne piacentino – giacca e cravatta, pantalone chiaro a zampa d'elefante – e diceva a tutte: «Ragassa, te c'hai delle sans» (dove «sans», ho scoperto, stava per *chances*, ovvero possibilità). Componevano la giuria: un parrucchiere per signora, un'indossatrice che indossava abbastanza poco, una hostess e un manager industriale, che restava vago sulla sua attività.

Le nove concorrenti, dopo la presentazione di rito alla stampa (di cui ero l'unico, corteggiato rappresentante), sono sparite, per ricomparire subito dopo con i body leopardati, pronte per la passerella. Silenzio concentrato del pubblico, seguito da qualche commento. Entusiasmo dell'amico ingegnere, foto-reporter per la giornata.

Mentre la giuria era ritirata per decidere, il presentatore emiliano ha cominciato a proporre strani giochi, chiedendo al pubblico di portargli prima una moneta da venti lire, poi un reggiseno, quindi uno slip. Quando, con gli occhi che brillavano, stava per proporre qualcos'altro, è arrivato l'annuncio delle vincitrici, trascinate sul palco a ricevere un mazzo di fiori e l'applauso dei fidanzati. Alla domanda se era contenta del piazzamento, la terza classificata ha risposto: «L'importante è partecipare», guadagnandosi l'applauso del pubblico, colpito dalla sua sintetica spiritualità.

Questo più o meno ho scritto, sotto il titolo È tempo d'elezioni. Alla fine del pezzo riconoscevo l'errore, ma concludevo che, tra le aspiranti miss e gli aspiranti onorevoli, io votavo le prime: avevano meno pretese ed erano più divertenti. Il direttore della «Provincia» s'è trovato a dover decidere: il giovane neo-collaboratore era un pazzo oppure aveva fantasia. Ha optato per la fantasia, mi ha pubblicato l'articolo ed è iniziata la mia carriera di studente-giornalista, diversa da quella di studente-lavoratore. Quest'ultimo, infatti, svolge un'attività (il lavoro) per potersi permettere l'altra (lo studio). Io scrivevo per distrarmi dalla facoltà di Giurisprudenza, che non trovavo difficile, semmai un po' noiosa, e priva di quella che, già allora, mi sembrava una caratteristica interessante della professione giornalistica: esser pagati per viaggiare, vedere, capire. E, magari, divertirsi.

Ricordo il primo compenso: 5.000 lire. Il reddito (lordo) del 1979 è stato 262.250 lire (è sceso a 250.000 lire nel 1980 e a 220.000 lire nel 1981, quando sono partito per il servizio militare). La routine era questa: battere l'articolo con una Olivetti lettera 32, correggerlo a mano, ribatterlo, metterlo in una busta arancione – le prendevo nello studio di mio padre notaio, erano quelle per i testamenti – e portarla alla stazione ferroviaria di Crema. Da qui partiva il fuori-sacco destinato alla redazione della «Provincia» di Cremona, distante quaranta chilometri. Là il mio pezzo sarebbe stato ribattuto, composto in piombo e stampato, in modo da uscire la domenica, nella pagina denominata «Crema e il Cremasco». La mia rubrica aveva per titolo «Parlar sul Serio», e sfruttava un gioco di parole – Serio è il fiume di Crema – che avrebbe dovuto provocare il mio allontanamento da qualsiasi organo di stampa. Ma ero fortunato. Qualcuno, alla «Provincia», apprezzava le cose che scrivevo. Non sapevo cosa pensassero i cremaschi, ma lo avrei scoperto di lì a poco.

La pianura è un'avventura

Devo confessare altri peccati. I primi tre articoli erano firmati con il nome che la famiglia mi aveva assegnato – in ricordo del nonno paterno – e nessuno aveva osato cambiare: Giuseppe. Al quarto articolo sono passato a Beppe, sorprendendo i parenti che, giustamente, hanno pensato a un disturbo della personalità. Invece, avevo fatto i miei conti. Avevo notato che «Giuseppe Severgnini», in fondo a una colonna di giornale, non ci stava: avrebbero dovuto ridurre il carattere, e questa era una iattura che intendevo evitare. Non solo. Prima di un cognome intricato come Severgnini, mi sembrava ci volesse un nome breve, pieno di confortevoli labiali. Beppe non era bello, e si prestava a future crudeltà romanesche (Peppe), nonché a errori («La Provincia», il giorno della laurea, offrirà le sue congratulazioni «al collaboratore e amico Bebbe Severgnini»). Però, funzionava. Ero meno certo della mia decisione quando sentivo pronunciare il nuovo nome, e pensavo chiamassero qualcun altro.

Munito di una firma – e di una barba folta, che rendeva l'insieme più inquietante – scrivevo ogni settimana il mio articolo su Crema, e lo spedivo a Cremona. Dovevo essere irriverente, ma non troppo: cremaschi e cremonesi, dai tempi dell'imperatore Federico Barbarossa, hanno rapporti complicati. Ogni eccesso sarcastico verso la mia città sarebbe stato considerato una resa all'avversario storico. Un esagerato campanilismo, tuttavia, poteva irritare gli abitanti del capoluogo, che mi ospitavano sul loro quotidiano. Non era difficile, tuttavia, trovare un equilibrio. Nonostante la poca distanza da Milano – quarantacinque chilometri – Crema non è una periferia. È una piccola città, benestante e antica, specchio della provincia italiana. Bastava descriverla con precisione, ricordando questo: chi si vede riflesso quasi mai si piace, e se la prende con lo specchio.

Qualcuno ha scritto che un giornalista, negli Stati Uniti d'America, si sente come una zanzara in un campo nudisti: non sa da dove cominciare. A Crema, tra il 1979 e il 1981, provavo la stessa sensazione, con una differenza: dei glutei che decidevo di pungere, conoscevo quasi sempre il proprietario. Per un giovane cronista, la città era piena di spunti: dai tifosi della squadra locale detti «canarini» ai positivisti quindicenni pronti per gli anni Ottanta; dai personaggi dei bar fino a una borghesia serena nelle sue certezze, e riconoscibile perché andava a sedersi nei banchi davanti del Duomo (lo so: ci andavamo anche noi). Il trucco era osservare, con un misto di affetto e spietatezza. Far nomi non era necessario: tutti capivano comunque.

Ai cremaschi dedicavo l'attenzione di un entomologo. Li cercavo, li scrutavo, li classificavo e mettevo il tutto per iscritto. Ogni tanto infilzavo un esemplare con un metaforico spillone (non per crudeltà: per il bene della scienza). Era un lavoro delicato. A un celebre giornalista di passaggio qualche imprecisione sarebbe stata concessa; a un concittadino esordiente non veniva perdonato nulla. L'analisi doveva essere esatta, e la descrizione abbastanza abile da far sì che ognuno ridesse degli altri, sorridendo con indulgenza di se stesso. Noi cremaschi, benché viviamo in provincia di Cremona, siamo mezzi bergamaschi: solidi, spicci, spiritosi e all'occorrenza perfidi (qualità apprese durante secoli di comune dominazione veneziana). Non temevo di essere atteso sotto casa: questo no. Mi rendevo conto, tuttavia, che un po' di prudenza era necessaria, soprattutto quando parlavo dei coetanei. Anche Giacomo Leopardi, se avesse dovuto classificare la gioventù di Recanati, avrebbe incontrato difficoltà; e al sabato, nel villaggio, erano certamente più tranquilli che nella piccola città. Ma tutto è andato bene: per due anni, non ci sono state proteste.

È possibile, naturalmente, che nessuno leggesse la mia rubrica. Ma questa era un'eventualità che non volevo neppure prendere in considerazione.

Felci e martelli

So che può sembrare incredibile, ma quegli articoli mi hanno guadagnato l'attenzione di Indro Montanelli. Una lettrice di Soresina (Cremona) – sia lode a lei e alla sua discendenza – glieli ha spediti, lui ne ha letto qualcuno, mi ha mandato a chiamare e io mi sono presentato – in ritardo – nel suo ufficio in via Gaetano Negri 4 a Milano, venerdì 19 dicembre 1980, completamente fradicio (pioveva, faceva freddo, non conoscevo la città, mi ero perso, non avevo l'ombrello). Mancavano pochi mesi alla laurea in Legge. In piedi davanti alla scrivania del direttore e fondatore del «Giornale», una leggenda del giornalismo italiano, aspettavo di conoscere il mio destino. Lui ha fissato la giacca a vento azzurra, imbottita e inzuppata, e ha detto: «Ma stai andando a sciare?».

Ammetto che, come prime parole all'inizio della carriera, possono apparire insolite. Avrei preferito che Montanelli mi parlasse dei grandi ideali della professione, ma andava bene anche così. No, non stavo andando a sciare: mi ero perso ed ero bagnato. Lui ha sorriso. «Non so come tu sia riuscito a scrivere, per due anni, un articolo alla settimana su Crema. Scrivere del mondo sarà uno scherzo. Facciamo così. Raccontami il processo alla vedova di Mao Tse-tung e alla Banda dei Quattro, in corso a Pechino.» Ma della Cina non so niente! ho mugolato. «Non sapere le cose non ha mai fermato i giornalisti. Ciao, torna tra quindici giorni.»

Passare da Miss Body Leopardo a Jiang Qing, quarta e ultima moglie di Mao, è stato traumatico, da principio. Poi ho scoperto che si trattava, in fondo, di informarsi, riassumere e raccontare; ed era meglio studiare la Banda dei Quattro (四人帮, *sì rén bāng*) che il concordato fallimentare (art. 124 e seguenti, Codice di procedura civile). Così mi sono messo d'impegno, ho fatto le mie ricerche, ho scritto, ho riscritto, ho consegnato, ho ricevuto i complimenti. E ho saputo che non sarei stato pubblicato. «A Pechino abbiamo un bravo corrispondente, Fernando Mezzetti, e non vorrei ci rimanesse male» si è giustificato Montanelli.

Poi ha detto che mi avrebbe inserito nella nuova redazione della «Grande Milano Costume».

Forma di contratto: nessuna. Ai tempi, per gli esordienti, esisteva il cosiddetto «abusivato». Il giornalismo italiano era riuscito a irreggimentare anche l'illegalità, e ne andava orgoglioso. Anche a noi aspiranti giornalisti, in fondo, andava bene. Abusivo era meglio di disoccupato.

La redazione cui ero stato assegnato produceva pagine locali. Ma, venendo da Crema, Milano mi sembrava il mondo. Il caporedattore era Giampaolo Martelli. Lo chiamavano «il Jean-Paul Sartre di via Negri», però lui non lo sapeva. Se l'avesse saputo, gli sarebbe piaciuto. Gli anni Ottanta albeggiavano, e l'uomo sembrava appena sceso da un treno da Parigi: impermeabile stazzonato, maglioni a collo alto, capello grigio ondulato, occhiali da vista spessi e imponenti, Gauloises in bocca. Un amore erotico per la carta. Giornali. Settimanali. Mensili. Libri nella testa e libri sulla testa: sembravano dover precipitare da un momento all'altro dalle mensole, un evento che attendevamo con sadico affetto.

Martelli era l'uomo cui Indro Montanelli aveva affidato una delle sue covate. Con noi c'erano Domizia Carafòli, che faceva i lanci col paracadute, e Tiziana Abate, che aveva una bandiera a stelle e strisce dietro la scrivania. C'erano Stefania Berbenni con la frangetta, Anna Tagliacarne col basco in testa e Ginevra Bruzzone con lo scialle sulle spalle. C'erano Elisabetta Muritti, Marina Moioli, Roberta Pasero e Franca Protti.

Tutte donne, salvo Martelli e me. Scrivevamo di vezzi urbani, di mostre, di locali che aprivano, di quel profumo nuovo che cominciava ad arrivare dall'America e, allargando le narici, si poteva sentire anche in piazza Cordusio.

«Mi raccomando, ragazzi, niente fregnaccette!» aveva ammonito Montanelli. Non lo erano. Scrivere della vita sociale che ricominciava era doveroso. Il 1981 è stato, per l'Italia, l'anno della svolta. Il confine tra paura e sollievo, ma la paura non era ancora finita. In maggio l'attentato in piazza San Pietro, da cui Giovanni Paolo II è miracolosamente uscito vivo. Durante l'anno, 21 vittime del terrorismo (erano state 122 nel 1980); 53 rapimenti a scopo d'estorsione; due svalutazioni della lira (6 per cento in marzo, 3 per cento in ottobre); 953 nomi nelle liste della P2 e l'arrivo a Palazzo Chigi di Giovanni Spadolini (una sorta di Mario Monti *ante litteram*, più robusto).

Girare per locali era riduttivo per un neolaureato in Diritto internazionale, lasciava intendere qualche amico di famiglia. Per niente, rispondevo: imparavo a conoscere Montanelli, Milano, il mestiere; e sapevo dove portare Agnese. Orient Express, Magia, Czar, Lento Battello! Sul Naviglio mi sentivo Conrad. Il Verdi, Oreste, Pane e Farina! Ricordo il verde scuro laccato delle pareti, il colore del momento, e le onnipresenti felci. Giocavo al Playtime di via Ravizza, studiavo antropologia alle Scimmie di via Ascanio Sforza, pagavo pegno al Banco di via Pontaccio e trovavo rifugio al Grand Hotel di via Palermo, a pochi passi dal giornale che sarebbe diventato il mio, tredici anni dopo. L'edificio del «Corriere della Sera», ai tempi, mi appariva inviolabile come un tempio massonico. In un certo senso, lo era.

Durante il giorno stavo in redazione, dove Giampaolo Martelli teneva le sue conferenze e le chiamava riunioni. Ma a noi piaceva così. Volevamo bene, in fondo, a quel capo esistenzialista che ci perdonava tutto e ci passava i libri giusti. Amava soprattutto gli autori francesi. Ma s'era preso una cotta per Tom Wolfe, che ai tempi girava per New York vestito di bianco come un gelataio. Quando gli ho mostrato l'antologia *The New Journalism* (Picador), piena di appunti e segnalibri, mi ha guardato sbalordito, poi ha detto nel suo miagolio piemontese: «Ma tu non sei di Crema?». Be', gli ho risposto, i libri li leggiamo anche noi, e non trattano solo di granturco. Mi ha sorriso e s'è offerto di scrivermi la prefazione per *Parlar sul Serio*, che una banca cremasca aveva deciso di pubblicare come strenna natalizia (non cercatelo: è introvabile).

Anche Giampaolo Martelli aveva pubblicato un libro, un romanzo intitolato *Inutilmente, tuo*. Ci teneva che lo leggessimo. Una storia d'amore scritta da un uomo che sapeva scrivere, e capiva come le parole fossero un modo di rallentare la vita che scappa. Irrispettosamente, in redazione, discutevamo del titolo. Perché *Inutilmente, tuo* e non *Inutilmente tuo*? Quella virgola ci appariva inutile.

Tanti anni dopo, a nome dei ragazzi di via Negri,

scrivo: grazie, Jean-Paul Marteaux. Sei stato generoso, bravo e utile. Con la virgola o senza.

L'importanza di un club

Cos'era «il Giornale»? Un posto dove qualcuno aveva il gusto d'insegnare e qualcun altro aveva il piacere d'imparare. Montanelli aveva deciso, a un certo punto della sua vita, che doveva lasciare una traccia nuova. Scrivere articoli memorabili non gli bastava; pubblicare la *Storia d'Italia*, nemmeno; dirigere il quotidiano che aveva fondato, neanche; impegnarsi per l'Italia che lo faceva arrabbiare, neppure. Voleva essere un maestro. Ma non aveva alcuna intenzione di creare una scuola.

«Il Giornale» era un luogo gerarchico, ma le gerarchie erano mobili. Tutti potevano proporre, ma si prendevano la responsabilità della proposta. La riunione del mattino era un concilio: c'era il papa (Montanelli), il segretario di Stato (il condirettore Gianni Biazzi Vergani), i cardinali (i vicedirettori), i vescovi (i caporedattori centrali), i parroci (i responsabili delle redazioni), i missionari (gli inviati, in partenza o di ritorno). E poi, ogni tanto, c'eravamo anche noi, giovani diaconi del mestiere. Eravamo invitati a farci avanti. Ma era sconsigliato tirar fuori banalità o apparire presuntuosi: il concilio avrebbe mormorato, e non era un suono rassicurante.

Sconsigliato anche interrompere il riposo pomeridiano del direttore, che avveniva in poltrona, nel suo studio, in fondo al corridoio a sinistra. Iside Frigerio – tra poco ne parleremo – suggeriva il momento giusto, ed eravamo sempre bene accolti.

Quando i corrispondenti esteri rientravano in redazione, Montanelli esigeva di vederli, e spesso li invitava a pranzo. Lo stesso accadeva con gli inviati e gli editorialisti. Se diversi passaggi milanesi avvenivano nello stesso giorno, il direttore metteva tutti insieme, da Elio in via Fatebenefratelli, e si creavano tavolate dove le conversazioni s'incrociavano: Paolo Romani giunto da Parigi, Eugenio Melani salito da Roma e, magari, Giorgio Torelli in arrivo da Parma. Montanelli dirigeva l'orchestra di voci e opinioni. E ascoltava. Era un ottimo ascoltatore. Così bravo da mettere ansia.

Più che una direzione, il secondo piano del «Giornale» era un club, dove le regole erano poche e chiare, l'atmosfera brillante e un po' di eccentricità non era solo tollerata: era vivamente consigliata. Ricordo i duelli raffinati tra Sandra Artom e Vivianne Di Majo, che s'occupavano entrambe di cultura; i sarcasmi di Marcello Staglieno; i silenzi di Paolo Mazzanti; la pazienza di Alfredo Pallavisini; gli strilli di Giorgio Soavi – mai capito se lui e il direttore litigassero davvero.

Montanelli era insofferente col mondo; esigente con i giornalisti già affermati; ma paziente con noi. Era un buon maestro. Non voleva ammetterlo, naturalmente: diceva che i nostri successi gli facevano piacere perché gli permettevano di vantarsi. Non era vero. Era felice, nell'ultima parte della sua vita, di formare una nuova generazione di giornalisti (siamo in molti, ogni elenco sarebbe parziale). Ci ha insegnato come combinare le esperienze personali e gli incontri professionali, le umane indulgenze e le fiere antipatie. Ci ha spiegato come raccontare in modo croccante, sapendo che qualcuno dovrà assaggiare (prima regola, non annoiare; seconda regola, non usare parole inutili). Ci ha mostrato, con l'esempio, come affrontare l'intricata vicenda italiana. Occorre guardare l'attualità con l'occhio del polemista e con quello dello storico: uno strabismo geniale, che gli storici di professione non gli hanno mai perdonato. Ma Indro aveva quest'incredibile capacità di usare lo stile per passare alto sopra le cose; e per entrarci dentro a capofitto, se gli andava. Un narratore-cormorano che ci ha insegnato a volare.

Montanelli è stato un buon maestro anche perché, ai suoi allievi, sapeva indicarne altri. Non era geloso dell'influenza che avrebbero esercitato su di noi. Ricordo quanto ho imparato leggendo i libri di John Gunther – la serie *Inside* è stata la mia scuola privata di reportage – e i racconti di Lucio Lami, un inviato-viaggiatore che aveva sbagliato secolo: la sua voce e il suo sigaro si sentivano fin dalla strada, e sapevano di avventura (Angola, Ciad, Libano, Iraq, Cambogia, Afghanistan!). Leggevamo e cercavamo di capire come si preparassero, dove andassero, come scrivessero. E cosa inventassero, ogni tanto.

Non era il caso di Egisto Corradi, con cui ho condiviso una stanza: lui non inventava niente. Era la Corte di Cassazione del giornalismo italiano, diceva Montanelli: quello che scriveva era inappellabile. Io gli ricordavo di non dimenticare il passaporto, alla partenza; lui, senza darne l'impressione, mi spiegava gli errori che un inviato doveva evitare. Ne ricordo tre: prendere troppi appunti; non prenderne nessuno; riempire l'agenda di impegni. Una camminata per una città nuova vale tre appuntamenti, diceva. Era una persona di un'umiltà sconvolgente, Egisto. Una volta s'è lasciato sfuggire che un suo reportage giaceva dimenticato in un cassetto. L'ho riferito al direttore, che s'è arrabbiato: Corradi si pubblica subito! Il pezzo è uscito il giorno dopo, in evidenza. Egisto ha capito subito cos'era successo. Ho temuto che mi sgridasse. Ha sorriso, invece.

Montanelli ricorreva, ogni tanto, a piccole bugie tattiche – evidentissime: quando le diceva spalancava gli occhi azzurri come un bambino – ma era capace di strategia. Meglio: era lungimirante. Ero rientrato da poco da Londra, nel 1988. Mi aspettavo chissà quali incarichi – mi era stata ventilata la corrispondenza a New York – e mi hanno affidato un'inchiesta sull'inquinamento nel fiume Po. Ci sono rimasto malissimo: per tre ore. Poi sono partito, ho letto, ho visto, ho incontrato, ho raccontato. Montanelli mi ha mandato a chiamare: «Bravo. Adesso vai in Israele. C'è l'*intifada*, la rivolta palestinese». In Israele? Ma non ne so niente! Risposta: «Appunto, così impari.

Se vuoi diventare un giornalista in grado di muoversi nel mondo, dovrai passare tempo in America, in Russia, in Cina e in Medio Oriente. Di uno di questi posti, magari, diventerai un esperto, ma anche gli altri ti serviranno. Resta in Israele un mese o due, e per tutta la vita farai a meno di scrivere sciocchezze su quelle terre... e se ne leggono tante. Buon viaggio. Ti aiuterà Dan Segre, oggi lo chiamo».

Dan Vittorio Segre era il nostro corrispondente e commentatore da Gerusalemme. Tra i fondatori dello Stato d'Israele, era circondato da affetto e rispetto. Mi ha accolto, mi ha aiutato, ha usato la sua autorevolezza per farmi incontrare Amos Oz e Shimon Peres, per aprirmi le porte dei kibbutz in Galilea ed evitarmi guai a Gaza e nei territori palestinesi. Perché lo fai? gli ho chiesto un sabato, mentre pranzavo da lui in Ben Yehuda. «Perché chi ha avuto molto deve restituire altrettanto» mi ha risposto sorridendo.

Tre membri del club

Ho sempre provato una certa soggezione per Iside Frigerio. La sto superando soltanto ultimamente, perché lavoriamo tutt'e due al «Corriere», a pochi metri di distanza. Quando la incontro in corridoio o in ascensore, sorride e quasi sempre mi rivolge una domanda. Essere interpellati da Iside è un gradino sotto il Pulitzer – al giornale lo sappiamo – ma poi ho capito che questo non dimostra solo antica amicizia, ma anche astuzia. Se mi fa una domanda, io devo rispondere, e non ho il tempo di farne una a lei.

Voglio bene a Iside, e so che queste pagine non mi verranno perdonate, almeno pubblicamente. Iside è un caso rarissimo di giornalista che detesta la notorietà. Un po' come un puma vegetariano: è raro, ma lo si può incontrare. Una ragione della longevità professionale di Indro Montanelli è stata lei, insieme a Marisa Rivolta. Marisa se ne occupava a casa; Iside doveva gestirlo al giornale, dove trascorreva buona parte del tempo. La prima telefonata del direttore – anche la seconda, la quinta, la decima e la cinquantesima – è passata da Iside. Non era soltanto la responsabile della segreteria, l'assistente e l'interprete autentica di Montanelli. Era la vestale del montanellismo, religione laica senza tendenza al proselitismo.

La sua postazione era al secondo piano, tra la segreteria di redazione e le stanze della direzione. Quello che, a tutti gli effetti, costituiva un ingresso era diventato il centro nevralgico del giornale: il luogo delle attese, dei rifiuti, delle speranze e delle delusioni. Iside non accompagnava i visitatori da Montanelli, la cui stanza era sempre aperta, difesa solo dal prestigio dell'occupante. Si limitava a guardarsi intorno e dire: «Va' pure». E noi andavamo, passando davanti alla scrivania del condirettore Gianni Biazzi Vergani, che ci sorrideva paterno. All'uscita Iside non domandava mai niente, anche perché – non chiedetemi come – sapeva già tutto. Sapeva chi erano i questuanti e chi i rompiscatole, chi i ragazzi bisognosi di un consiglio e chi i colleghi ansiosi di rassicurazione. Indro e Iside! Una divinità indiana e una dea egizia: che coppia. Iside non coordinava solo sei persone in segreteria. Gestiva anche i personaggi del cast redazionale. Il focoso Salvatore Scarpino, capocronista, che aveva un'idea dopo l'altra (e una pistola in tasca, nel periodo del terrorismo); il malinconico Paolo Mazzanti, che parlava poco ma vedeva tutto; la poderosa Flavia Podestà e il sarcastico Michele Sarcina; Michele Mottola, che sembrava l'avvocato della diva in un film di Hitchcock; il pirotecnico Alfio Caruso, capo dello sport; l'ombroso Paolo Granzotto, che io stimavo più di quanto lui sopportasse me; e la banda della cronaca, il nostro vivaio migliore (Giuliano Molossi, Ugo Tramballi, Luigi Offeddu, Leonardo Maisano, Letizia Moizzi, Paolo Longanesi, Ugo Savoia, Elisabetta Rosaspina, Paolo Galli, Ariel Pensa). Prima o poi tutti scendevano da Montanelli, e Iside era lì. A osservare il passaggio o impedirlo, con un'alzata di sopracciglia. Un giorno mi ha aggiustato il colletto della camicia.

L'ho vista in difficoltà solo una volta. Quando l'editore e produttore Angelo Rizzoli, detto «Angelone», finì in carcere, il 18 febbraio 1983, per bancarotta patrimoniale societaria in amministrazione controllata, Indro Montanelli, che aveva conosciuto bene il padre e il nonno, si offrì di ospitarne il merlo, di nome Marco. Il pennuto era dotato di spiccata personalità, ma sprovvisto di buona educazione: amava insultare chiunque passasse, ma alcuni gli stavano più antipatici di altri. La sua espressione preferita era «Vai a cagaaare!», con enfasi sulla seconda «a». La gabbia era stata piazzata tra due divani, davanti alla scrivania di Iside, che aveva accettato la nuova convivenza col solito aplomb. Ma non sempre era possibile contenere l'esuberanza polemica del volatile. Lo spettacolo di Giovanni Spadolini che incedeva tra i lazzi feroci del merlo, e di Montanelli che difendeva il merlo, è tra i miei ricordi più belli.

Iside si starà chiedendo, mentre legge: chi diavolo ti ha dato il permesso di raccontare queste cose?! Be', il permesso – implicito, ma inequivocabile – l'ho avuto dall'autrice di un pezzo apparso sul «Giornale per voi», mensile riservato agli abbonati del «Giornale», edizione febbraio 1983, pagine 14 e 15. Una giornalista che ha scritto pochissimo, quasi mai, sebbene sapesse farlo. Riporto un passo:

> Nei quotidiani esiste un misterioso tam-tam che diffonde immediatamente le novità, sia che riguardino la vita dell'azienda, sia gli avvenimenti che incalzano nel mondo. E questo perché i giornalisti, vuoi per inclinazione, vuoi per mestiere, sono particolarmente portati a indagare, a essere, in breve, curiosi e ficcanaso...

Dimenticavo, la firma: Iside Frigerio.
Se protesti, cara collega, pubblico anche la fotografia.

Il Metodo Cervi era semplice. Presentava la questione. Spiegava il senso dell'intervento. Riassumeva i fatti. Esponeva i propri argomenti. Confutava quelli dell'avversario. Cercava di convincere. *Exordium. Propositio. Narratio. Confirmatio. Confutatio. Peroratio.* Mario Cervi elaborava un trattato di oratoria ogni volta che si sedeva alla macchina da scrivere. I suoi articoli erano logici, anzi didattici: non volevano entusiasmare, intendevano sviluppare un ragionamento. Sospetto che, talvolta, l'autore non fosse interamente convinto di ciò che sosteneva. Ma era così efficace che, dopo quaranta righe, finiva per persuadere anche se stesso.

Come diavolo ci riusciva? ci chiedevamo da ragazzi. Lo aiutavano le tante letture, le molte esperienze all'estero e la lunghissima militanza nel giornalismo milanese – meno emotivo di altre forme di giornalismo nazionale. Anche l'abitudine a rispondere ai lettori – prima insieme a Montanelli, poi in proprio – gli aveva insegnato a essere chiaro e rispettoso. Due aggettivi che s'è portato addosso per tutta la vita, come tatuaggi. Due insegnamenti che emanavano, come un profumo un po' amaro d'altri tempi, dal suo modo di fare. Non si poteva imitare, Mario Cervi: né lui, a differenza di Montanelli, s'aspettava di essere imitato. Si poteva osservare, ricavandone qualche insegnamento.

La sua scrittura, per esempio, era un esercizio di autocontrollo. Gli ultimi vent'anni della sua vita non devono essere stati facili. L'uscita dal «Giornale» nel 1994, con Montanelli e tanti colleghi più giovani di lui, per passare alla «Voce»; il rientro a casa, che nel frattempo era stata occupata da Silvio Berlusconi: inquilino piuttosto ingombrante. Escludo che Mario Cervi, intimamente, riuscisse a giustificare lo sfacciato conflitto d'interessi dell'editore entrato in politica. Ma sono certo – leggendolo, conoscendolo – che ha saputo evitare di trasformarsi in trombettiere, un'attività in cui tanti colleghi hanno perso il fiato.

Mario Cervi è rimasto sempre un intellettuale conservatore in un'Italia dove – complice la politica – i due vocaboli erano diventati un ossimoro. Un po' ideologico, com'era nello spirito dei tempi: s'era spinto a giustificare diversi brutti ceffi – il cileno Pinochet, per esempio – in nome dell'anticomunismo. Ma l'intelligenza polemica lo aiutava a rispettare tutti i punti di vista. La raffinatezza intellettuale lo spingeva a giocare con gli avversari. La genuina mancanza di retorica – il motivo per cui Montanelli lo apprezzava – gli evitava eccessi inopportuni ed entusiasmi inutili. La capacità di sintesi gli consentiva di arrivare sempre al punto. E il punto finale è questo: siamo tutti di passaggio, ma ci sono passaggi sbracati e passaggi eleganti.

Quello di Mario Cervi è stato notevole, e da lui abbiamo imparato molto.

L'apparizione di Enzo Bettiza in una città straniera, per noi giovani inviati, era un piacere e una fortuna.

Un piacere perché, incontrandolo, sapevamo d'essere nel posto giusto al momento giusto. Una fortuna perché bastava pedinarlo con discrezione. Stoccolma, Londra, Madrid, Mosca. Se entrava in un ristorante, era il migliore della città. E, ai tempi, nessuno contestava le note-spese.

Il Barone Bettiza, lo chiamavamo. Mai capito se lo fosse davvero, ma il titolo gli stava così bene che non ho mai indagato. Scriveva l'italiano roco e sorprendente di chi l'ha imparato; leggeva tanto, viaggiava spesso, sapeva molto. Detestava il comunismo, ma ne era attirato, come un bambino dai mostri delle fiabe. Trattava i potenti con rispetto, ma senza piaggeria: come un giornalista dovrebbe fare sempre, invece di scodinzolare aspettando una carezza. Ha scritto libri magnifici: *Esilio* (1996), *Non una vita* (1989), la raccolta *Saggi Viaggi Personaggi* (1984). I ritratti di Buzzati e Montale sono folgoranti, chi si presenta in via Solferino dovrebbe conoscerli: capirebbe dove mette piede.

Se n'è andato a novant'anni, Enzo Bettiza, nel 2017. L'ho incrociato per poco più di un anno, tra il 1982 e il 1983, il periodo del suo addio al «Giornale»: io entravo, lui usciva. Usciva per un disaccordo su Bettino Craxi: il condirettore Bettiza lo considera salvifico, il direttore Montanelli ne diffidava. Ma Indro ci teneva che i suoi ragazzi di bottega conoscessero le grandi firme: sapeva che certi incontri restano nella memoria. Bettiza era gentile, raccontava e chiedeva. Una lezione che non ho dimenticato. Il modo in cui un professionista affermato tratta i giovani colleghi è un test infallibile. Se li incoraggia, è un signore; se li ignora, è uno sciocco; se li osteggia, è un cretino.

Ho rivisto Enzo Bettiza nel 1987, a Londra, dov'era arrivato a studiare il regno di Margaret Thatcher (ricordo i consigli al giovane corrispondente, e il vino che scelse al Reform Club, dove l'avevo invitato). Dieci anni dopo, nel luglio 1997, è venuto a Crema a presentare *Esilio*, e s'è fermato a cena da noi in campagna. Era una serata di pioggia. Raramente ho visto un ospite così a suo agio tra mobili di noce, vecchi libri e raccolte rilegate di riviste. Era come se il Novecento gli parlasse, felice d'essere compreso.

Datemi per disperso

Nel 1983 mi è stato assegnato il primo servizio all'estero: Australia!

A quel punto, devo ammettere, ho fatto una cosa strana.

Prima di spiegare quale, sarà utile illustrare il contesto. L'incarico australiano era frutto dell'impazienza, dell'incoscienza e di un compromesso. A Sydney vivevano due amiche, Joanna e Libby Savill, che avevo conosciuto in Europa; mi avrebbero ospitato volentieri. Così ho proposto a Montanelli: se il giornale mi paga il biglietto aereo, al resto penso io. Torno con un'inchiesta e un po' di articoli. Lui ha risposto: «D'accordo, vai».

L'Australia, a ventisei anni, è splendida. Amavo la nebbia della Lombardia in febbraio, ma il sole estivo del New South Wales, dopo un giorno di volo, aveva i suoi vantaggi. Le amiche abitavano in centro. La mia stanza era a casa di Libby, che viveva col fidanzato, un ragazzo simpatico, appassionato di vini. Che nel *Down Under* bevessero vini squisiti è stata la prima di molte scoperte. Gli australiani ascoltavano musica fascinosa (*Only Lonely*, Divinyls), producevano film interessanti (*Monkey Grip*, da un romanzo di Helen Garner), avevano il senso della distanza: annusavano l'Indonesia come noi, a Pavia, sentivamo il profumo della Liguria. Una sera ho visto *The Year of Living Dangerously* (*Un anno vissuto pericolosamente*) di Peter Weir, con Mel Gibson e Sigourney Weaver – sono uscito dal cinema e avrei voluto partire subito per Jakarta.

Sydney era giovane, nel 1983. Oggi è una metropoli, allora sembrava una versione ripulita di San Francisco, con spiagge migliori. Ricordo l'azzurro di Bondi Beach, il bianco dell'Opera House, il luccichio dei ponti, il biondo luminoso delle ragazze, alcune idiozie. Come uscire in mare aperto e guardare gli amici australiani che si lasciavano trascinare dalla barca, aggrappati a una corda. Il gioco si chiamava «esca per squali», e non ha bisogno di spiegazioni. Trenta secondi duravano tre ore. Il *bungee jumping*, in confronto, è un passatempo per case di riposo.

Tra un entusiasmo e una scemenza, lavoravo. Lavoravo molto e con passione. Preparavo un'inchiesta sugli italiani d'Australia: arrivati negli anni Cinquanta come tagliatori di canne e minatori, avevano fatto strada. E poi viaggiavo. Nell'*outback*, all'interno, ho scoperto che i canguri esistevano davvero, ed erano tanti. Stavano sul ciglio della strada e avevano lo sguardo di D'Alema quando passa Renzi: perplesso e leggermente contrariato. Ho scritto anche una pagina sulle elezioni in arrivo. Bob Hawke – estroverso laburista, precursore di Tony Blair e Bill Clinton – contro Malcolm Fraser, un conservatore che faceva campagna elettorale in gessato blu, parlando agli aborigeni nei greti asciutti dei torrenti.

Così è trascorso quasi un mese, tra molte cose e con poche spese. La sera prima della mia partenza per l'Italia, Libby e Joanna hanno dato una festa. E qui è successo il fatto. O meglio: è successa lei.

Aveva ventidue anni e si chiamava Annika. Svedese di Växjö. Aveva il viso ovale, i capelli castani, gli occhi blu, un abitino corto e un sorriso che ribaltava i bicchieri: o meglio, al mio è successo. Annika era disinvolta. A fine serata mi ha guardato: «Domani parto, voglio vedere l'Australia. Viaggio in auto. Vieni anche tu». Risponderle «Non posso, ho il volo per l'Italia» mi sembrava banale. Così le ho domandato: «L'auto è tua?». «No, di uno svizzero-tedesco.» «Non sarà contento, quando scoprirà che vengo anch'io.» Annika ha alzato le spalle e ha cambiato stanza, andando a ribaltare un po' di bicchieri anche là.

Lo svizzero-tedesco, in effetti, non era contento

36

di vedermi, il mattino dopo. Sono quasi certo che si chiamasse Hans, ma potrei sbagliarmi. Ho l'impressione di averlo rimosso, e la certezza che lui abbia rimosso me. Siamo partiti in tre, verso Adelaide: Annika ciarliera e felice; io felice e silenzioso; Hans silenzioso e incazzato.

Non c'erano le mail, gli sms e i fax nel 1983: si mandavano i telegrammi. Nel mio, diretto a Montanelli, c/o «il Giornale», c'era scritto: «Tutto bene. Datemi per disperso».

Sono stati giorni folgoranti. Quando Annika, per la prima volta, si è messa in costume da bagno ho scoperto che possedeva anche altre qualità. Andavamo d'accordo, noi due; troppo, secondo Hans. Ogni sera dovevamo decidere la sistemazione per la notte. C'erano due posti in tenda e un posto in auto. Usavamo il sorteggio, e ogni volta finiva nello stesso modo: Annika e io scivolavamo in tenda, Hans dormiva in macchina.

Il quarto giorno, dalle parti di Adelaide, lo svizzero-tedesco s'è svegliato di umore nero. Di fronte alle nostre espressioni angeliche, ha iniziato a urlare: «*You cheat!*», voi mi imbrogliate! Cosa che a me sembrava piuttosto evidente; ero solo stupito che ci avesse messo tre giorni a capirlo. Hans si è girato, ha aperto il baule, ha buttato giù i nostri bagagli ed è ripartito imprecando, con una manovra che a Zurigo gli sarebbe stata rimproverata.

Una svedese e un italiano, neanche cinquant'anni in due, abbandonati in uno sterrato sulla costa dell'Australia Meridionale, con due valigie, sotto il sole. Abbiamo riso per un quarto d'ora, poi siamo scesi in spiaggia a costruire un pupazzo di sabbia; ci abbiamo appoggiato i nostri passaporti, italiano e svedese, e l'abbiamo fotografato. Da lì in poi in autobus, un viaggio scomodo e magnifico, lungo la costa e poi nell'*outback*. Perfino i canguri, fermi sul bordo della strada, capivano che eravamo felici.

Qualcuno si chiederà: e Indro Montanelli? Come ha reagito quando ha ricevuto dal giovane collaboratore un telegramma con scritto «Datemi per disperso»? Il direttore avrebbe potuto considerarmi un deficiente, latitante fin dal primo servizio all'estero. Invece, quando mi ha visto, ha detto: «Tu sei matto. Ma bisogna essere un po' matti, per fare bene il nostro mestiere. Bentornato».

Il resto della storia lo conoscete: io faccio ancora il giornalista, Montanelli è stato un grande maestro. E Annika? Ci siamo rivisti a Parigi, nell'autunno 1983, ma non ha funzionato. Mancava il sole, mancavano le valigie nel parcheggio, mancava lo svizzero-tedesco. *Wo bist du, Hans?* Dove sei, Hans? Ce lo daresti un passaggio?

2
La scuola dell'ironia

Made in England

Nel marzo 1981 mi sono laureato in Diritto internazionale a Pavia, in maggio sono partito militare: aeronautica, Centro addestramento reclute di Macerata. Rientrato a Milano, via Grosseto, usavo la libera uscita e le licenze per continuare a scrivere e fare in modo che, in redazione, non si dimenticassero di me. Mi firmavo Beppe Cremaschi, un nome che avrebbe ritardato il riconoscimento dell'aviere Severgnini di circa trenta secondi.

Nel maggio 1982 ho riconsegnato la divisa, ho ripreso possesso del cognome e sono rientrato in redazione. Ma, dopo pochi mesi, mi sono scoraggiato.

Scrivere di tendenze sociali e socialisti rampanti era facile; ma io sognavo di viaggiare. Quell'estate, con due amici, avevo attraversato in motocicletta la Polonia sottoposta alla legge marziale, dalla Slesia al mar Baltico; l'avevo raccontato sul «Giornale» – il pezzo aveva per titolo *Piccola Polonia quotidiana*, l'ho ancora appeso nella mia stanza al «Corriere» – e mi ero entusiasmato. Volevo occuparmi dell'Europa e del mondo, ma non potevo dirlo. E, di sicuro, non potevo farlo. Non prima di qualche anno, almeno. Così, a malincuore, ho deciso: avrei provato a diventare notaio, il mestiere di mio padre. In autunno sono andato da Montanelli e, a testa bassa, gli ho comunicato la mia decisione. Lui ha alzato gli occhi dalla Olivetti. «Fai come credi» ha detto.

All'inizio del 1983 sono tornato da Montanelli e gli ho chiesto se mi riprendeva. La pratica notarile mi annoiava. Non solo: avrei rischiato di vincere il concorso e passare la vita a svolgere una professione per cui non mi sentivo portato. Lui ci ha pensato un po' su – un minuto, che ho trascorso in apnea – poi ha detto: «Un notaio figlio di notaio. Diventeresti troppo ricco, non va bene. Facciamo così. L'anno venturo si libera la sede di Londra, e ti mando a fare il corrispondente. Mi daranno del pazzo, e avranno ragione. Ma tu farai bene. Se non accetti, sei un bischero. Che dici?».

Ho risposto subito, e stavolta nel modo giusto: «Quando parto?».

È accaduto così che in un giorno caldo di settembre 1984 ho trascinato due enormi valigie attraverso l'aeroporto di Linate, e sono salito su un volo per Heathrow. Avevo ventisette anni e andavo a Londra per condurre l'ufficio di corrispondenza di un giornale! Sapevo che non sarebbe stato facile. Per cominciare, non c'era alcun ufficio da condurre. Lavoravo dal primo piano di una casetta a schiera al numero 14 di Rudloe Road, Clapham South (SW12), che condividevo con una assistente parlamentare (Melanie), un'aristocratica scultrice d'avanguardia (Kate) e un riparatore di tappeti egiziano, di cui non ricordo il nome. Con Melanie eravamo amici da qualche anno. Ci eravamo conosciuti a Bruxelles tra il 1979 e il 1980, durante lo stage presso la Commissione della Comunità Europea. Alta, monumentale, caustica, poco convenzionale, incuteva rispettoso timore; era però una ragazza intelligente e sensibile. L'unica cosa che non tollerava erano le mie rimostranze sull'igiene domestica. Quando ho osato dire che il bagno comune conteneva più muffe di un orto botanico, e che nella moquette un entomologo avrebbe potuto preparare la tesi di dottorato, non mi ha rivolto la parola per una settimana (poi abbiamo fatto pace, siamo ancora amici).

Con gli altri due coinquilini i rapporti erano meno frequenti, ma più complessi. La scultrice era spesso in viaggio: di lei restavano una ventina di martelli, incastonati nel muro in apposite nicchie a forma di martello (era tassativamente vietato usarli, come ho scoperto quando ho dovuto appendere un quadro). L'egiziano – un tipo laconico, minuscolo, non più giovane – sosteneva che, per lavorare, aveva bisogno di fumare hashish. Motivo per cui le stanze a pianterreno, dove aveva installato il laboratorio, erano avvolte da una nuvola costante dal profumo intenso. Per arrivare indenne alla cucina e alla camera – scrivevo per un quotidiano conservatore, una corrispondenza allucinogena non sarebbe stata apprezzata – dovevo tuffarmi come un subacqueo in apnea, slalomeggiare tra i tappeti e salire le scale di corsa.

Ricordo quando ho deciso di fare il corrispondente a modo mio, invece di imitare chi mi aveva preceduto. Per quanto riguarda gli argomenti, è stato facile. Clapham oggi è una riserva urbana di professionisti danarosi; allora era un quartiere remoto e sperimentale: vecchia Inghilterra e nuova immigrazione s'incrociavano, con risultati interessanti. *Il fattore umano* (Graham Greene) e *Lavanderia a gettone* (Stephen Frears, Hanif Kureishi), insieme. Melanie mi ha introdotto nel suo circolo di amici, molti dei quali avevano studiato in una scuola eccentrica e liberale (Bedales, in Hampshire). Lavoravano nei giornali («Time Out», «Financial Times»), nell'editoria (Hodder & Stoughton), in televisione (BBC, ITV), nel cinema. Nella mia strada abitava Bob Geldof – l'unico individuo più spettinato di me – e ai party trovavo Daniel Day-Lewis: raccontare la nuova Inghilterra era facile.

Più difficile era scegliere il tono da usare. Finché, di colpo, ho capito.

È accaduto in un pomeriggio di ottobre, un mese dopo il mio arrivo. Ero nella mia stanza, sopra la nuvola di fumo dell'egiziano e le potenziali martellate dell'inglese, e dovevo scrivere del congresso del partito laburista, per la pagina degli esteri. Mia unica fonte di informazione, una radio sintonizzata su

BBC Radio 4. Ho preso qualche appunto e ho capito che delle contorsioni della sinistra britannica del tempo, in Italia, non importava nulla (la nostra sinistra contorsionista era di là da venire). Allora ho deciso di affrontare la vicenda in modo umoristico: avrei raccontato l'Inghilterra sul «Giornale» come avevo parlato di Crema sulla «Provincia». Divertendomi; e sperando che si divertissero anche i lettori.

Ha funzionato, devo dire.

Notting Hill W11

Dopo qualche mese mi sono trasferito in un seminterrato a Notting Hill (20, Lansdowne Crescent W11) con vista sull'immondizia dei padroni di casa. Mi sono abituato in fretta alla situazione, e ho cominciato addirittura ad apprezzarla. Quando vedevo molti sacchetti di plastica, sapevo che ci sarebbe stato un party. Quando trovavo molte bottiglie vuote, sapevo che c'era stato un party. Non ero mai invitato, ma mi sentivo parte della famiglia.

Abituarmi agli inglesi – come ho raccontato nel libro omonimo – è stato più difficile che abituarmi alla loro immondizia. Ero arrivato pieno di idee preconcette (questa gente si imbarazza facilmente, legge molto e si lava poco) e dopo pochi giorni mi sono accorto che era tutto vero. Il colpo è stato tale che, per sei mesi, ogni indagine si è rivelata impossibile. Poi è iniziato lo spasso.

Ho capito, per cominciare, che gli inglesi sono grandi attori, e non dovevo credere a quello che vedevo (e certamente non a quello che sentivo: era difficile per me accettare che «*Let's have lunch together sometime*» fosse solo un super-goodbye, e nessuno avesse intenzione di invitarmi a pranzo). Mi sono reso conto, abbastanza presto, che ognuno amava recitare una parte, spesso assegnata alla nascita. Chiamavano questo gioco *class system*, il sistema di classi. Fin dall'inizio, l'ho trovato appassionante.

I padroni di casa e la loro immondizia mi hanno insegnato le prime, importanti lezioni in materia. La giovane *landlady*, Catherine, era *upper class*. Chiamava il mio seminterrato *the garden flat* (l'appartamento sul giardino), e mentre scaricava i suoi rifiuti di fronte alla mia finestra non diceva una parola. Secondo il marito, Richard, un giovanotto *upper-middle class* con un lavoro nella City, io vivevo invece nel *lower ground floor flat* (pianoterra ribassato); quando scendeva la scala a chiocciola per lasciare l'immondizia, sorrideva e parlava del tempo. La baby-sitter – una ragazzina *working class* di Liverpool, con un accento e una minigonna che non dimenticherò – eseguiva la stessa operazione maledicendo il suo lavoro, le cene dei padroni di casa e *the bloody stairs to the basement*, le dannate scale verso il seminterrato. Seminterrato: esattamente ciò che era. La ragazza non mostrava solo due belle gambe, ma anche un'ammirevole lucidità.

Lo stesso appartamento – il mio appartamento –

rappresentava tre cose diverse per tre persone diverse, semplicemente a causa dell'ambiente da cui provenivano. La medesima operazione – scaricare la stessa immondizia di fronte alla stessa finestra (sempre la mia) – rivelava atteggiamenti del tutto differenti. Quando, dopo mesi, sono stato invitato di sopra, mi sono accorto che «il gioco delle classi» si adattava a ogni situazione. Catherine (*upper class*) apprezzava il mobilio, ma non ne parlava mai. A Richard (*upper-middle class*) sedie e tavoli non interessavano, ma continuava a parlarne, dicendo quanto li aveva pagati. Alla baby-sitter di Liverpool non importava un accidenti dei mobili. Bastava fossero abbastanza robusti da reggere il televisore.

Fin da quei giorni felici a Notting Hill – il film con Julia Roberts era di là da venire, nei caffè non si correva il rischio di incontrare sciami di ciarliere femmine americane – avevo capito che gli inglesi e le classi sociali non erano come i francesi e il sesso (ovvero: non lo fanno più di altri, semplicemente ne parlano di più). Ho sempre pensato, invece, che gli inglesi fossero genuinamente interessati al meccanismo, per una ragione semplice: gli piaceva. Forse perché i rituali attiravano il talento nazionale per la recitazione. O perché le classi – nell'ultimo spicchio del Novecento – rassicuravano il conservatorismo britannico, messo a dura prova da Margaret Thatcher.

Anch'io, dopo qualche tempo, ho cominciato a provare attrazione per tutto ciò. La dolce vita è qui, mi sono accorto di pensare. Le classi alte erano orgogliose della loro genuina o presunta eccentricità. Le classi medie sembravano trovare soddisfazione nell'insincerità con cui ricamavano la propria vita sociale. Le classi basse sedevano felici di fronte al televisore, con una birra in mano. Nessuno avrebbe scambiato il proprio ruolo con gli altri: l'invidia sociale, il motore della vita americana, ai tempi veniva giudicato un passatempo stancante. Nessuno, però, voleva ammetterlo. Ecco il motivo per cui la Gran Bretagna era un territorio tanto affascinante, per un giovane giornalista straniero. Spiare la nazione mentre tentava di nascondersi era uno spasso. Il *britwatching* (osservare i britannici) era meglio del *birdwatching* (osservare gli uccelli). Non serviva neppure il binocolo, bastava tenere gli occhi aperti e non far rumore. Se si spaventavano – bipedi e volatili – il gioco era finito.

Ortensia e le nostre amiche

A Londra non passavano i piatti sotto l'acqua dopo averli lavati. La cosa mi scocciava. Finché gli inglesi lo facevano a casa propria, erano affari loro; ma, se ci invitavano a cena, diventavano anche affari nostri.

Studiavo il fenomeno come un antropologo. Non era solo un vezzo dei nostri conoscenti: era una consuetudine nazionale. Non risciacquava l'*upper class* nelle case di città e nelle residenze di campagna; non risciacquava la *middle class* nelle casette bifamiliari;

non risciacquava la *working class*, che considerava questa attività (*rinsing*) una morbosa abitudine continentale. Prima di cenare, quand'ero ospite, procedevo al mio piccolo risciacquo personale, ma sentivo intorno una certa ostilità. «Perché dovremmo?» ha sibilato un giorno una conoscente. Perché presto i vostri bambini cominceranno a emettere le bollicine, ho risposto.

Quello che in me generava stupore e occasionale irritazione, in mia moglie Ortensia provocava entusiasmo. Ci eravamo messi insieme pochi mesi prima della mia partenza per l'Inghilterra: ventun anni lei, ventisette io. Alla vigilia del trasferimento a Londra, generando un certo scetticismo in una bella e concreta ragazza lombarda, avevo promesso: «Tu pensa a laurearti, poi ci sposiamo e mi raggiungi». È successo nel luglio 1986. La fidanzata mi ha chiesto di tornare a metà del mese e di mettermi elegante. Organizzazione perfetta, festa in giardino, tuffo vestito in piscina. Alla sera, senza accorgermene, ero un uomo sposato.

Va bene, non è andata proprio così. Ma questa storia mi piace. Mi piace perché lascia intendere l'incoscienza necessaria in ogni grande decisione. Bisogna riflettere con calma, poi buttarsi in fretta. Chi pensa troppo non si sposerà mai. E si perde qualcosa: il matrimonio, al di là di tutto, è divertente.

Il primo anno abbiamo condiviso il seminterrato in Lansdowne Crescent, dove io appendevo le cravatte ai chiodi nel muro e lei diceva: «Esistono gli armadi». Poi ci siamo spostati in una casetta deliziosa a Kensington Church Walk W8. Era rimasta miracolosamente libera, nonostante l'affitto ragionevole, perché il facoltoso proprietario americano pretendeva di conservare il diritto di accesso alla proprietà – credo per motivi fiscali – e di un invito a cena, quando fosse passato da Londra. Abbiamo accettato e la cosa si è rivelata un successo da ogni punto di vista. Mr Fredrick Schwartz si è dimostrato un gentiluomo, brillante e discreto, e le sue visite – talvolta accompagnato dalla moglie francese, Emmanuelle – erano rare, annunciate con congruo anticipo e gradevoli.

Abbiamo passato a Kensington Church Walk, all'ombra di St Mary Abbots, due anni meravigliosi, ai quali Ortensia – ancora oggi – attribuisce tutte le proprie caratteristiche coniugali migliori. Per esempio: le nostre amiche inglesi – Melanie in testa – erano brillanti, colte e affettuose; ma avevano appartamenti scandalosamente disordinati, e camere da letto che erano campi di battaglia. Ortensia era entusiasta, perché quelle abitazioni costituivano un'assoluzione preventiva, corredata da una giustificazione. Le nostre amiche (e la mia nuova moglie) sostenevano infatti che il tempo fosse prezioso, e non avesse senso sprecarlo riassettando e stirando. Meglio leggere, oppure andare a teatro. Risultato: avevo la camicia stropicciata e la moglie colta. E felice. Questa era l'unica cosa importante.

Dentro al club, fuori dal club

Da allora – sono passati trent'anni – sono tornato a Londra continuamente. Qualche volta con Ortensia, più spesso da solo. Giornali e libri, radio e televisione, conferenze e raduni, feste e compleanni – e non ho mai dormito in un albergo. A casa di amici? Raramente. Nei parchi? Troppo umido. Sotto i ponti? La parte inferiore dei ponti di Londra non porta bene agli italiani (caso Calvi, ricordate?); meglio passarci sopra e guardare il fiume che scorre, sporco e regale.

Ho sempre alloggiato al Reform Club (104 Pall Mall SW1), di cui sono socio dal 1986. Margaret Thatcher aveva deciso che i *gentlemen's clubs* di Londra dovessero mantenersi senza agevolazioni, e quelli cercavano nuove risorse ammettendo nuovi membri. I giovani europei, ai tempi, andavano di moda. Così ho presentato la mia domanda, ho trovato chi l'appoggiasse, ho pagato la quota, sono entrato. E non sono più uscito. Nel guardaroba appendo il cappotto al gancio che indica la mia età, così lo ritrovo. Ho cominciato al numero 29 (vicino alla porta), sono al numero 61 (sotto la finestra).

A chi – allora e oggi – mi accusa di essere snob, faccio notare alcune cose.

La prima: il Reform Club è un gran bel posto. Venne progettato da Charles Barry, l'architetto delle Houses of Parliament, che si era ispirato a Palazzo Farnese a Roma (rifiutava una copertura sul quadrilatero d'ingresso, poi gli venne fatto notare che il clima inglese era diverso da quello italiano). Ha ispirato Jules Verne, che ci ha ambientato la scommessa del *Giro del mondo in 80 giorni*. In quelle sale hanno discusso, tramato, deciso, bevuto (molto) e fumato (parecchio) diversi colossi della storia inglese (Gladstone, Disraeli, Lloyd George, un giovane e iracondo Churchill), scrittori come Conan Doyle e Thackeray (che qui iniziò a scrivere *La fiera della vanità*).

La seconda: il Reform Club vanta impeccabili tradizioni progressiste. Fondato nel 1836, prende il nome dal Reform Act del 1832, che estendeva il diritto di voto dopo la Rivoluzione industriale; l'idea era di creare un posto dove gli Whigs, i liberali, potessero organizzarsi contro i Tories, i conservatori. Ancora oggi, al momento dell'iscrizione, i soci devono sottoscrivere un'adesione ai princìpi liberali. Il nostro club è stato il primo, nel 1981, ad ammettere le donne come membri a pieno titolo. Con l'obbligo della cravatta, ci è voluto più tempo: è stato abolito, dopo lunghe discussioni, nel 2017. Fino ad allora chi si presentava all'ingresso col colletto aperto veniva invitato a scegliere dentro un sacchetto. Una volta ho pescato una striscia di poliestere piena di strani simboli, e ho temuto per tutta la sera che un anziano lord venisse ad abbracciarmi, dopo avermi visto al collo la cravatta della sua vecchia scuola.

La terza: alloggiare al Reform è un affare. La quota annuale è ragionevole. E ottanta sterline a notte per una stanza a Pall Mall non sono molte (magari con vista sul giardino interno, sconti nel fine settimana). Con quei soldi, a Londra, si può ambire a un ostello in periferia, dove non è previsto il maggior-domo che al mattino arriva col tè in camera, dicendo: «*Good morning, Sir*».

La quarta: il Reform Club è l'unico, insieme a Maurizio Crozza, che si ricorda della mia onorificenza. Dal 2001 sono Officer of the British Empire (OBE), un riconoscimento conferito dalla regina Elisabetta. Nel mio caso, per i libri che spiegano gli inglesi agli italiani (e viceversa), per il lavoro con «The Economist» e la collaborazione al convegno annuale di Pontignano. Quando sono ospite, sulla lavagna al primo piano, quella che indica chi occupa le camere, c'è scritto «Hon. Beppe Severgnini» (mi sento come un cinquestelle in Parlamento, col vantaggio che la Casaleggio Associati non può darmi ordini).

C'è una quinta cosa da ricordare. Il Reform Club si adatta – senza fretta, d'accordo – al mondo che cambia. Fino al termine del XX secolo era spartano. Cibo essenziale, un ricordo dei beati anni del castigo scolastico; stanze monacali, con spiffieri imperiali; bagni comuni, freddi e stoici; docce assenti e rubinetti senza miscelatore (uno doveva scegliere: congelarsi le mani o scottarsele). Poi, gradualmente, il club è tornato a splendere. L'oro delle colonne luccica, il vermiglio delle pareti brilla. Un formidabile chef anglo-bergamasco di nome Aldo ha fatto in modo che il cibo fosse all'altezza della tradizione (nostra, non loro). Esiste una stanza con quattro computer, in tutto il club c'è Wi-Fi. Ben 26 stanze (su 48) hanno introdotto optional lussuosi come un bagno. In alcuni – tenetevi forte – c'è perfino il bidet.

Dove avrei potuto rifugiarmi, se non al Reform Club, per affrontare una notte storica? Tra il 23 e il 24 giugno 2016 sarebbero arrivati i risultati del referendum sulla permanenza del Regno Unito nell'Unione Europea. *Remain* per restare, *Leave* per andarsene. Gli inglesi, anche quando si avviano a combinare un disastro, mostrano una semplicità ammirevole. La campagna pre-referendaria era stata orribile. Peggio: superficiale. I paladini del *Leave* avevano sparato bugie colossali – 350 milioni di sterline alla settimana per il National Health Service, il servizio sanitario nazionale, se usciamo dall'Unione! – e puntato sulla paura dell'immigrazione, senza considerare i fatti. Che sono questi: la Gran Bretagna è internazionale per tradizione e vocazione, e da tempo si regge sugli immigrati. Medici e infermieri, scienziati e accademici, finanzieri e carpentieri, autisti e dentisti, camerieri e calciatori. I sostenitori del *Remain* avevano reagito mollemente, senza convinzione. Non avevano ricordato che restare nell'Unione Europea fosse molto meglio; avevano solo detto che uscirne sarebbe stato, tutto sommato, peggio.

In occasione della *Referendum Evening* – solo la terza consultazione referendaria nella storia del Regno Unito! – il Reform aveva piazzato due grandi televisori nel salone d'ingresso, aveva esteso l'orario della Coffee Room (il ristorante, non servono il caffè) e aveva tenuto aperta la Smoking Room (la sala di lettura, dove non si può fumare). Io stavo nella Study Room, dove c'era poco da studiare: bisognava solo aspettare i risultati e incrociare le dita. Verso le 20 sono entrati un australiano, una sudafricana e due inglesi. Il primo, piuttosto su di giri, ha detto di credere a una vittoria del *Remain* «perché la Gran Bretagna è importante per l'Europa, l'Europa è importante per il mondo e l'Australia fa parte del mondo!». Gli altri non hanno detto niente, e non era un buon segno.

Alle 21 nell'atrio all'ingresso – quello che il progettista avrebbe voluto lasciare scoperto – un socio del Reform, esperto di statistica, si è alzato e tutti hanno taciuto per ascoltarlo: «Otto sondaggi su dieci per *Remain*» ha affermato sicuro. Un altro socio, verso le 22: «Vengo da Downing Street: *Remain* chiuderà al 58 per cento». Un terzo, alle 23: «Secondo me si resta in Europa, ma con una percentuale più bassa: 52 per cento per *Remain*, 48 per cento per *Leave*». Un quarto socio, intorno a mezzanotte: «Lasciamo l'Unione Europea». Così è andata. Brexit *and bye-bye*.

Il barman aveva preparato due cocktail: *Remain* (prosecco, Schnapps, pesca) e *Leave* (prosecco, blue curaçao, arancia). All'inizio della serata serviva soprattutto il primo; più tardi, il secondo; a un certo punto – mentre l'atrio, pian piano, si svuotava – ha chiuso bottega.

I grandi della storia inglese, finalmente astemi dentro le cornici dorate, avevano assistito a uno spettacolo inconsueto: il Regno Unito aveva deciso in modo emotivo. Pensavo: chissà cos'avrebbero votato Dickens, Thackeray e Conan Doyle. I primi due avevano titoli adatti all'occasione: *Grandi speranze* (da una parte e dall'altra) e *La fiera della vanità* (dedicato a Boris Johnson, prima sindaco di Londra città aperta, poi leader della Brexit). Arthur Conan Doyle, invece, avrebbe potuto affidare a Sherlock Holmes un'indagine: perché quel genio di David Cameron ha indetto un referendum su un tema tanto facile da strumentalizzare, quando poteva evitarlo?

Sono tornato in camera – numero 312, in mansarda – mentre la luce di giugno tornava sugli Waterloo Gardens. Faceva caldo e non ho chiuso occhio, come un adolescente deluso dalla festa. Pensavo, con dispiacere: il passato ha prevalso sul futuro. I nonni hanno sgambettato i nipoti. Little England ha battuto Great Britain. Nonostante il nome, infatti, questa non è più una grande potenza: è una media potenza che sa fare bene alcune cose (sfruttare l'inglese, valorizzare Londra, offrire servizi, organizzare cerimonie, andar per mare, coltivare l'originalità, esportare arte, musica e calcio). Ma i problemi del pianeta sono troppo vasti e complessi – le migrazioni e i conflitti, il commercio internazionale e la finanza globale – perché le democrazie europee li affrontino in ordine sparso.

Gli inglesi sono scappati, pensavo: e non l'avevano mai fatto.

Sono usciti dal club sbattendo la porta: e non si fa.

Mare e nostalgia

L'Inghilterra finisce contro una cancellata davanti al mare. Oltre l'orizzonte, invisibile, il resto d'Europa. Il vento si infilava sotto le assi del pontile di Eastbourne e sollevava la gonna a pieghe di una ragazza bionda, che si sbracciava per riportarla giù. Marilyn sulla Manica, con qualche imbarazzo in più.

Domenica 26 giugno 2016. Tre giorni dopo Brexit. Era la terza volta che tornavo a Eastbourne, località di mare dell'East Sussex; curiosamente, ogni volta a distanza di ventidue anni. Nell'autunno 1994 con la BBC, che mi aveva chiesto di raccontare una parte dell'Inghilterra cui ero legato. La prima volta nell'estate 1972, per studiare inglese come tanti ragazzi italiani. O almeno questa era la versione destinata alle nostre famiglie.

Eravamo ospiti in casette modeste, le *semidetached houses* (bifamiliari), che costituivano il marchio dell'Inghilterra. La padrona di casa (*landlady*) si chiamava Mrs Potter e abitava in Susans Road, una via che dalla ferrovia scendeva verso il mare, passando vicino al deposito dei bus, al Post Office e a un luogo chiamato Picturedrome. Mrs Potter – la nonna di Harry, mi sono convinto poi – andava a letto alle dieci di sera e si presentava in forma smagliante al rito spartano del *breakfast*: pomodori affranti, salsicce rigide, uova pallide e pancetta rattrappita. Il piatto più inquietante si chiamava *beans on toast*: fagioli su una fetta di pane. Davanti a quest'offerta, assumevamo un'aria dolente. Sono convinto che le popstar del tempo – da Alice Cooper a Rod Stewart – abbiano adottato il look emaciato dopo aver osservato i ragazzi italiani in vacanza-studio. E se la nostra canzone preferita si chiamava *Popcorn*, forse c'era un motivo: eravamo affamati.

Tornando, mi sono accorto di ricordare tutto: le strade e le discese, l'indirizzo della Eastbourne School of English (8, Trinity Trees) e l'ubicazione dei club cavernosi dove corteggiavamo minuscole scandinave che non scappavano davanti alle nostre sahariane sciancrate di fustagno. Ora capite perché molti di noi hanno quei luoghi nel cuore: chi si presenta vestito così a una ragazza, senza metterla in fuga, non dimentica.

Non erano posti attraenti. La poesia di una località come Eastbourne – case bianche contro il mare scuro, alberghi verticali, pioggia frequente, spiagge ostili – sfuggiva a un quindicenne italiano. Intuivo che i villeggianti inglesi, per gustare il piacere della vacanza, dovessero associarvi un po' di sofferenza. Li incontravo al chiosco meteorologico sul lungomare, impegnati a consultare una dozzina di tabelle (precipitazioni, pressione, vento, umidità), ansiosi di quantificare il proprio disagio. Quello che li eccitava era la turbolenza: un mare come il Mediterraneo – piatto, caldo, azzurro – li avrebbe annoiati. I turisti erano persone di una certa età, il che faceva della cittadina un posto bizzarro. La popolazione era composta di anziani (inglesi) e di ragazzi (stranieri). Un quarantenne, a Eastbourne, sarebbe stato preso per un alieno, e fotografato per una rivista scientifica.

Non sembrava cambiato molto. La novità era che nuovi anziani signori, senza chiasso, avevano sfilato l'Inghilterra dall'Unione Europea, dov'era entrata titubante nel 1973. A Eastbourne aveva votato *Leave* il 58 per cento dei cittadini. In Gran Bretagna aveva votato *Leave* il 58 per cento degli over-65. Tutto tornava. Brexit-on-Sea. Eastbourne, quel giorno, somigliava a quella che conoscevo. Avrei potuto tirar fuori la sahariana di fustagno, ma non mi sarebbe andata più bene.

***

Una parata di case vittoriane che il Duca del Devonshire – il proprietario – si rifiuta di trasformare in negozi. Vento salato e manutenzione occasionale: la vernice bianca non basta a coprire il tempo che passa. Una volta Eastbourne era stato un luogo di villeggiatura elegante. George Orwell aveva abitato qui, per qualche tempo. Marx ed Engels venivano a riposare. Claude Debussy si chiuse con l'amante nel Grand Hotel e finì di comporre *La Mer*.

Centodieci anni dopo gabbiani pasciuti e pensionati minuti si contendevano le panchine sul lungomare: sentinelle bianche sul fronte della Manica. I primi, protetti da regole ferree e passione animalista, scrutavano i cartocci di patatine nelle mani dei bambini, aspettando il momento opportuno. I secondi erano arrivati in massa negli ultimi anni, attirati dal clima e dai prezzi delle case, molto inferiori a quelli di Londra. Ma poiché la capitale è solo a un'ora e mezzo di treno, alcuni venivano per la giornata.

Gli autobus scoperti della Eastbourne Sightseeing li aspettavano al varco. Seafront e Pier, Grand Hotel, Beachy Head, Birling Gap, Sheep Centre, East Dean: quarantacinque minuti per 11 sterline. Poi il *lunch* dietro le vetrate degli alberghi, dove gli ospiti sembrano pesci in un acquario, oppure nei locali sulle strade perpendicolari al mare. Il proprietario del ristorante Athens – bianco e azzurro come una bandiera – si chiama Vince Floridis, ha passato i sessanta e non sembrava contento di Brexit. Era convinto che i prezzi sarebbero aumentati (*«Oil, up! Wine, up! Petrol, up!»*) e spiegava che gli inglesi non amano i forestieri. Anzi, non li hanno mai amati («Ero uno di loro, sono arrivato da Cipro da bambino»). Alla parete, la fotografia autografata di Brian May. La suocera, vestita di nero, ci guardava dalla cucina. La figlia è venuta a chiedermi quanto costava diventare una scrittrice.

Vicino al Claredon Hotel, Kenneth e Barbara si sono presentati come Barbie & Ken: sposati da quarantotto anni, si sono avvicinati al mare per gradi, man mano che salivano i prezzi a Londra. Non mi hanno detto cosa hanno votato, ma non sembravano stupiti del risultato del referendum. Mentre parlavamo, passavano folate di ragazzini stranieri con gli zainetti tutti uguali, diretti verso le scuole di lingue: insieme alle case di riposo, una delle imprese trainanti della città. Era come se il tempo della mia adolescenza non fosse passato: il sole tiepido, il mare verde, l'inglese incerto, l'Europa altrove.

Nel pomeriggio, le panchine si sono riempite. In silenzio, gli ospiti guardavano i rari nuotatori, i bambini sulla battigia, i giornali che qualcuno aveva lasciato volare via nel vento. Davanti a loro l'Eastbourne Pier, il pontile inaugurato nel 1870, bruciato varie volte (anche nel 2014), danneggiato dalle tempeste e semidistrutto da una mina, nel 1942: la polizia locale l'aveva legata ai piloni, temendo un'invasione tedesca, ma non aveva innestato la sicura. L'ispettore Hercule Poirot ci venne due volte, inviato da Agatha Christie. Nel film *Brighton Rock*, tratto dal romanzo di Graham Greene, il pontile di Eastbourne sostituisce quello di Brighton (città vicina e rivale, pericolosamente europea: ha votato *Remain*, non a caso).

Il Pier si allunga per trecento metri nel mare. Ci sono il Fish & Chips Shop, l'Amusement Arcade con le slot-machine e i giochi con le monete di rame da due *pence*, il night-club costruito al posto del teatrino andato in fiamme – pure quello – nel 1970. Nonostante il sole, il pontile era quasi vuoto. La Victorian Tea Room era deserta, le lunghe panchine verniciate di fresco aspettavano passanti che non passano. All'estremità una cancellata, un tavolo e un salvagente.

Un destino curioso, quello del mare qui intorno. Negli anni Ottanta le spiagge balneabili erano poche, in Inghilterra. Ha spiegato «The Guardian»: «Il governo inglese decise di vietare quasi ovunque i bagni per non avere a che fare con scarichi di fogna, preservativi e assorbenti interni. Indicò solo 27 spiagge, ma, di queste, nove si rivelarono troppo sporche». Dopo azioni legali e direttive dell'Unione Europea (sulle acque balneabili, sugli scarichi liquidi urbani) il 99 per cento delle 632 spiagge inglesi (*designated beaches*) è balneabile. Compresa Eastbourne, ovviamente. Gratitudine per l'Europa? Neanche per sogno. Nel maggio 2016 l'Eastbourne Borough Council ha rinunciato perfino alla Bandiera Blu. Troppo costoso mantenerla, ha spiegato un consigliere.

Non era il suono della ritirata, quello che sentivo nell'aria estiva. Piuttosto, il profumo di un ripensamento. Era come se il nuovo ordine europeo avesse tradito le promesse; e crescesse la nostalgia per l'Inghilterra di prima. Quando i ristoranti servivano solo roast beef, stufato e purè (*stew and mashed potatoes*); e se dovevano fantasticare, fantasticavano in francese. Quando nei pub entravano le sigarette e non i bambini, quando c'erano gli asinelli sulla spiaggia (*donkey rides on the beach*), quando la frutta e la verdura si pesavano in libbre, quando girava la banconota verde da una sterlina, quando le porte si lasciavano aperte, quando gli *skinheads* erano brutti, sporchi e un po' delinquenti: ma erano del posto, almeno.

Un'Inghilterra che nel 1972 ho conosciuto, e nessun referendum potrà resuscitare.

Ma a Eastbourne, di questo, non erano convinti. Sulle panchine coppie di *senior citizens* scrutavano la Manica, senza parlare. Speravano che all'orizzonte apparisse il passato prossimo. Invano.

3
Un naufragio da giovani fa bene

Fuori e dentro

Ha scritto Indro Montanelli, a proposito della traumatica uscita nel 1994 dal «Giornale», che aveva fondato vent'anni prima: «La parte lesa è sempre la meno qualificata a rendere testimonianza». Concetto giuridico impeccabile, confermato dalle esperienze personali di tutti noi. Ma, nel caso in questione, mi sento autorizzato a raccontare qualcosa.

L'addio al quotidiano per cui avevo lavorato per tredici anni – insieme al direttore che mi aveva scoperto, assunto, cresciuto e lanciato – e la breve avventura con «La Voce» non costituiscono brutti ricordi. Sono invece la prova che le sconfitte possono essere istruttive, soprattutto in giovane età.

La vicenda, nelle linee essenziali, è nota. La stagione di Mani Pulite aveva spazzato via la Democrazia cristiana e il Partito socialista di Bettino Craxi, e Silvio Berlusconi – editore televisivo, proprietario del

Milan e azionista di maggioranza del quotidiano «il Giornale», intestato al fratello Paolo per eludere la legge Mammì – era preoccupato. I suoi referenti politici, manovrati con destrezza spregiudicata, erano crollati; tutto lasciava credere che la sinistra – uscita quasi indenne dalle tempeste giudiziarie – andasse al governo. Convinto che questo avrebbe segnato la sua fine, Berlusconi prima ha pensato di appoggiarsi a Mario Segni, fresco trionfatore nel referendum; poi ha mobilitato Publitalia e ha fondato un partito a sua immagine e somiglianza: Forza Italia. La «discesa in campo» – così l'ha definita – era dettata dalla necessità; ma, quasi subito, l'uomo ci ha preso gusto.

L'idea che l'editore diventasse un capo di partito non piaceva a Indro Montanelli: si sarebbe trovato a dirigere, inevitabilmente, un giornale di partito. Contando sulla reverenza filiale che «Silvio» nutriva nei suoi confronti – interveniva solo per questioni sportive (il Milan) e televisive (Canale 5) – il direttore-fondatore era convinto di dissuaderlo. Ma non c'è stato niente da fare. Berlusconi, euforico, organizzava il suo partito; Montanelli, irritato, studiava la possibilità di andarsene e creare un altro giornale. Noi stavamo a vedere, impotenti e preoccupati.

Quell'anno, come racconterò, ero distaccato a Londra presso la redazione dell'«Economist». Mi arrivava l'eco di quanto stava succedendo a Milano; ma, come spesso càpita agli emigrati, non riuscivo a valutare la gravità dei fatti e l'imminenza delle decisioni. Tornato in Italia, in autunno, mi sono reso conto che la situazione stava precipitando. L'atmosfera in via Negri era così tesa che mi sono inventato un viaggio di dodici tappe nella provincia italiana, guidato dai lettori. L'avevo intitolato *Virgilio cercasi*. Avevamo tutti bisogno di una guida, alla fine del 1993.

Silvio Berlusconi è comparso durante l'assemblea di redazione, sabato 8 gennaio 1994, scortato da Antonio Tajani, uomo di punta della nostra redazione romana. Il giorno prima, Emilio Fede, direttore del Tg4, aveva rilasciato dichiarazioni sguaiate su Montanelli. La mattina, sul «Corriere», era apparso un fondo del direttore Paolo Mieli dal titolo inequivocabile: *Dalla parte di Montanelli*. Le ostilità erano ufficialmente aperte.

Era la prima volta che incontravo Berlusconi di persona. L'ho trovato più basso di quanto immaginassi, e meno sfacciato. Elegante, pettinato (allora poteva) e sorridente, ci ha detto però cose dure, ricorrendo a una intricata metafora guerresca: «Voi siete bravi col fioretto, ma i nostri avversari usano il mitra e la clava. È tempo di prendere la sciabola». Se mi sosterrete nella battaglia, ha aggiunto, avrete le risorse che occorrono al giornale. Non ha spiegato cosa sarebbe successo se avessimo rifiutato, ma sembrava abbastanza evidente.

Passare per disertori non ci andava; iscriverci al suo partito, nemmeno. Non avevo dubbi su cosa sarebbe accaduto. Sono sceso nella stanza che condividevo con Egisto Corradi, ho staccato l'unico quadro e con quello sottobraccio sono passato a salutare Montanelli: «Quando andiamo?». Ricordo il quadro, ce l'ho ancora. Era un manifesto che mi ero portato da Londra, intitolato *How to Write for «The Economist»*. Nel gesto – un po' teatrale, lo ammetto – s'è incrinato il vetro. Era un addio, e lo sapevo. Ma quando il comandante lascia la nave e ti offre un posto nella scialuppa, si va con lui senza discutere. E comunque, in un giornale di partito non intendevo lavorare. I colleghi inglesi non me l'avrebbero perdonato. La mia coscienza, nemmeno.

* * *

COMUNICATO STAMPA
In viaggio con Indro Montanelli

Dal 22 febbraio 1994, il più celebre giornalista d'Italia presenterà il suo nuovo quotidiano, «La Voce», in quattro città: Firenze, Roma, Napoli e Milano. Con lo spirito d'avventura e l'entusiasmo di sempre, Indro Montanelli si mette in viaggio per presentare ai lettori la sua nuova creatura: «La Voce», edita dalla Piemmei e attesa in edicola nel mese di marzo. Il «grand tour» di Montanelli ha una partenza obbligata: Firenze, la città dove nel lontano 1908 l'amico Giuseppe Prezzolini fondò la rivista «La Voce», destinata a diventare lo spaccato più illuminante della cultura italiana del tempo. La tappa fiorentina sta particolarmente a cuore a Montanelli: si tratta infatti di un ritorno a casa, durante il quale avrà al fianco il figlio di Giuseppe Prezzolini, Giuliano. L'incontro avverrà presso la Sala Convegni della Cassa di Risparmio di Firenze, martedì 22 febbraio, alle ore 18.00.

Dopo Firenze, sarà la volta di Roma. Nella capitale Montanelli dà appuntamento ai suoi lettori nella Sala del Cenacolo presso la Camera dei Deputati, mercoledì 23 febbraio alle ore 17.30. Ogni tappa ha un significato: nel caso di Roma, si tratta di un confronto ravvicinato con «il Palazzo», al quale Montanelli ha sempre voluto restare estraneo, fino al punto da rifiutare il Senato a vita.

La terza tappa è Napoli, dove la Compagnia Editoriale Piemmei, che pubblica «La Voce» e si contraddistingue per essere la prima public company del settore, ha trovato molti azionisti e un valido sostegno. Il Direttore, da sempre amante della città, incontrerà il pubblico napoletano presso il Circolo della Stampa nella Villa Comunale, giovedì 24 febbraio alle ore 16.30.

Il viaggio italiano si concluderà naturalmente a Milano, la città che Montanelli considera la sua patria adottiva fin dagli esordi al «Corriere della Sera», e dove vent'anni fa fondò «il Giornale». La sua terza avventura, quella de «La Voce», verrà presentata ai milanesi presso il Circolo della Stampa, giovedì 3 marzo alle ore 18.00.

Per espressa volontà di Montanelli, che considera il

*lettore il suo vero e unico padrone, tutti gli incontri
sono aperti al pubblico.*

*In ogni città, l'incontro verrà introdotto e modera-
to da un amico e collaboratore di Indro Montanelli: Federico Orlando a Roma; Giancarlo Mazzuca a
Napoli; Beppe Severgnini a Milano.*

Il primo pezzo che ho scritto per «La Voce» è stato
questo comunicato. Montanelli, durante i prepara-
tivi frenetici per il nuovo giornale, aveva distribuito
i compiti. C'era chi si occupava di organizzare le redazioni, chi dei rapporti con gli investitori, chi della
nuova grafica. A me era toccato il lancio. Ero il ponte tra la direzione, la redazione e la società che organizzava la campagna di comunicazione. E sui ponti,
come si sa, passano in tanti.

Ero esausto. Credo che nei primi tre mesi del 1994
– il primo numero della «Voce» è arrivato in edicola il 22 marzo (mezzo milione di copie, esaurite alle
nove del mattino) – Montanelli fosse l'uomo più ri-
cercato d'Italia (a parte alcuni latitanti, e per altri
motivi). Arrivavano colleghi di tutte le testate e da
tutti i Paesi. Gli chiedevano, invariabilmente: cosa
l'ha spinta a dirigere un nuovo quotidiano a ottan-
tacinque anni? «Dovere civile, dignità professionale
e senso della sfida» rispondeva. «C'è spazio in Italia
per un nuovo giornale che ragiona, invece di sbrai-
tare» ripeteva.

Non era così, purtroppo, e l'avremmo imparato a
nostre spese.

La nuova redazione in via Dante 12 – a pochi passi da via Negri 4, non eravamo andati distante – era un simpatico manicomio.

C'era il condirettore Federico Orlando, caso raro di guerrigliero liberale. C'erano i vicedirettori Michele Sarcina, Giancarlo Mazzuca e Vittorio Corona, diversissimi uno dall'altro: il primo smaliziato come un vecchio commissario di polizia; il secondo ansioso e passionale; il terzo gentile nei modi e incendiario nei fatti. C'era Vivianne Di Majo, aiutata da Pietro Cheli, alla guida delle pagine della cultura, denominate «il Caffè», un vecchio pallino di Montanelli (che in un primo momento voleva chiamare il nuovo quotidiano «Il Bargello»). C'era Marco Travaglio, impulsivo robespierre torinese. C'era Mario Cervi, ogni giorno più perplesso.

C'erano Luigi Offeddu e Leonardo Maisano, già corrispondenti all'estero. C'erano gli inviati Donata Righetti e Alberto Mazzuca. C'erano Gigi Bacialli e Nanni Delbecchi, che non perdevano il senso dell'umorismo. C'erano i duri della cronaca, da Peter Gomez a Letizia Moizzi. C'erano Paolo Longanesi, Francesco Battistini, Gabriele Paci e Novarro Montanari. C'era Oscar Eleni allo sport. Marzio De Marchi agli esteri. Aldo Vitali a «Odeon», la sezione degli spettacoli, che utilizzava abitualmente i fotomontaggi. C'era la minuscola, prudente Adriana Macchetta, incaricata della pagina delle lettere: un personaggio fiabesco, che talvolta penso d'aver sognato.

Era appassionante, ma mi sentivo frastornato. Davo

del tu a Montanelli, per la prima volta; non ancora al potere che ruotava intorno ai giornali. Non era facile lanciare un nuovo quotidiano tra le accuse (crudeli) della destra, gli applausi (interessati) della sinistra, i sospetti di alcuni lettori del «Giornale» e l'entusiasmo di altri, pronti a diventare azionisti della «Voce», seppure consapevoli dei rischi.

Ecco il comunicato diffuso il 19 marzo 1994, ritrovato in un pomeriggio di speleologia digitale:

> *La struttura proprietaria è insolita. La Piemmei spa (presidente professor Victor Uckmar, amministratore delegato Luciano Consoli) è infatti una compagnia editoriale ad azionariato diffuso, dove nessun socio potrà detenere più del 4 per cento delle azioni. Tra gli azionisti (oltre al direttore, ai giornalisti, agli altri dipendenti) ci sono associazioni di piccole e medie imprese, singoli investitori (Luciano Benetton, per esempio, e un folto gruppo di imprenditori della Campania). Il britannico «The Economist» è una delle testate straniere che intendono sottoscrivere una quota simbolica della «Voce». Nella tarda primavera 1994 (ottenuta la necessaria autorizzazione della Consob) è prevista l'offerta pubblica di sottoscrizione: i lettori, in altre parole, avranno la possibilità di acquistare piccole quote del quotidiano (una azione, 500.000 lire).*

Eravamo una banda di idealisti e talentuosi egocentrici, ognuno convinto di essere indispensabile. Ricordo la flemma di Mario Cervi, alter ego editoriale di Montanelli, e la frenesia di Vittorio Corona, che si era formato sulle riviste di moda. Il primo, conservatore prudente, aveva messo da parte le perplessità politiche per lealtà verso l'amico Indro; il secondo, innovatore spericolato, spingeva i motori al massimo. Il primo frenava, il secondo accelerava. Il primo sussurrava, temendo di spaventare i lettori moderati che c'eravamo portati dietro dal «Giornale»; il secondo si divertiva a cacciar loro un dito negli occhi. Montanelli sperava di tenere insieme queste due anime, ma era come andare in pista senza aver deciso se avremmo ballato il walzer o il boogie-woogie.

Dentro e fuori

I corrispondenti all'estero sono come gli astronauti durante la passeggiata spaziale. Godono di una magnifica prospettiva e di una certa notorietà; ma dipendono dal centro di controllo. La mia orbita era l'America: andarci era il mio sogno, e avevo convinto Montanelli che almeno di un corrispondente all'estero la nostra «Voce» avesse bisogno. Ho anche aggiunto, con sincerità, che in redazione mi sentivo un po' a disagio. Lui si fidava del funambolico Corona, alcuni di noi un po' meno.

Così, a metà aprile, tre settimane dopo il lancio del giornale, sono partito. Casa e bottega: la sede di corrispondenza della «Voce» stava al numero 1513 della 34ª Strada di Washington D.C., quartiere di

Georgetown. L'affitto era ragionevole e, poche ore dopo essere arrivato, ho scoperto CompuServe, uno dei primi servizi che usavano un sistema chiamato internet, che passava per i fili del telefono. Non sapevo bene a cosa potesse servire; ma lo avrei capito presto. È stato un periodo magnifico, che ho raccontato in *Un italiano in America* (1995). Un giornalista con i capelli neri dentro una casa di legno bianco; una giovane moglie bionda, entusiasta e pratica; un figlio piccolo, più piccolo dei mucchi di neve di Georgetown, dove camminava trionfante, col cappellino rosso e la giacca a vento blu. Ortensia, Antonio e io eravamo talmente felici che la nostra felicità faceva da filtro alle notizie, sempre più preoccupanti, in arrivo da Milano. «La Voce» stava finendo le risorse; nuovi investitori non si trovavano; le vendite calavano.

Un giorno i padroni di casa, con garbo, mi hanno detto che il giornale aveva smesso di pagare l'affitto. Ho chiamato subito l'amministratore delegato, Gianni Locatelli. Con un po' di imbarazzo mi ha detto: «Non possiamo più permetterci una sede all'estero, devi tornare». Gli ho risposto che, in America, l'affitto si paga e i contratti si rispettano; mi sarei mantenuto da solo, fino alla scadenza. Così ho fatto. La stazione orbitale si allontanava; ma lo spazio intorno a me era magnifico, e volevo finire di esplorarlo.

«La Voce» ha chiuso il 12 aprile 1995.

Quel giorno, sotto il titolo *Uno straniero in Italia*, Montanelli ha scritto:

Per tenere e difendere le mie posizioni, in questi ultimi anni, ho dovuto fondare due giornali *contro*: contro la Sinistra, quando era la Sinistra a minacciarle; ed ora contro l'attuale parodia di Destra che le sta – cosa ancora più pericolosa – discreditando. Due battaglie, due sconfitte, di cui vado ugualmente fiero, ma che mi hanno lasciato addosso – nel morale e anche nel fisico – troppe cicatrici. Chiedo ai lettori di riconoscermi il diritto al congedo.

A fine aprile, a Georgetown, abbiamo organizzato una *yard sale* per vendere mobili ed elettrodomestici, abbiamo salutato i vicini, abbiamo restituito le chiavi e siamo rientrati in Italia. In giugno ho firmato le dimissioni da un giornale che non esisteva più.

Cosa non ha funzionato, nel nuovo quotidiano? Le testimonianze sono numerose – libri, interviste, articoli, tesi di laurea – e contribuiscono a portare luce su un momento matto ed eroico del giornalismo italiano. Noi che abbiamo vissuto quell'avventura – lo è stata, a tutti gli effetti – abbiamo opinioni diverse, sugli errori e le responsabilità. Ma tutti crediamo che «La Voce» abbia rappresentato un'occasione sprecata; un sogno iniziato bene e finito male; un giornale che, a differenza di altre nuove iniziative, aveva i numeri per affermarsi. Quando abbiamo chiuso, dopo tredici mesi, vendevamo oltre cinquantamila copie. Alcuni quotidiani tuttora in edicola non le hanno mai raggiunte. Ma godono dei contributi per l'editoria, che noi non avevamo: finiti i soldi, finito il giornale. In fondo, giusto così.

Dispiace per i lettori che abbiamo illuso, confuso e deluso. I fotomontaggi di copertina erano spesso geniali; ma talvolta davano l'impressione che l'autore non capisse il senso storico e politico dei riferimenti che utilizzava. Ritrarre i colleghi della Fininvest come gerarchi nazisti, e Lilli Gruber – allora al Tg2 – impiccata per i piedi, non era provocatorio: era insensato (ricordo la telefonata sconvolta di Lilli, che avevo conosciuto tre anni prima a Mosca: «Non capisco». Risposta: «Neanch'io»). Non solo: un giornale «senza amici e nemici a scatola chiusa» aveva trasformato una legittima convinzione – Silvio Berlusconi era inadatto a guidare l'Italia – in una continua ossessione. E le ossessioni stancano: chi le coltiva e chi le raccoglie.

Altri errori? Ci siamo appesantiti (troppe pagine, troppi costi); avremmo dovuto, invece, essere asciutti e agili. Ci siamo fidati di personaggi che non meritavano fiducia: la sinistra voleva usarci, la destra sabotarci, i nostri amministratori non sapevano nuotare in acque tanto agitate. E lo spettacolo offerto da alcuni investitori non è stato edificante. Più d'uno s'è ritirato – chi dalla partecipazione azionaria, chi dall'investimento pubblicitario – per non indispettire Silvio Berlusconi, potente in ascesa (ovviamente con le lacrime agli occhi, dopo aver assicurato stima infinita a Montanelli).

Ma ormai è accaduto. Meglio ricordare la generosità, l'entusiasmo e l'affetto che si sono scatenati intorno a noi. Alcuni lettori, ancora oggi, raccontano d'aver conservato qualche copia della «Voce» e si dichiarano orgogliosi d'aver partecipato all'azionariato. È inutile, quasi venticinque anni dopo, cercare di stabilire di chi sia la colpa. Se i lettori della «Voce» fossero stati numerosi quanto le opinioni sulla fine della «Voce», avremmo venduto come il «Corriere della Sera».

Che poi ci ha accolto in tanti: e questo non va dimenticato.

4
Durante la funzione, abbassare la voce

Il foglietto americano

Per capire cos'è il «Corriere della Sera» – cos'è stato, cos'è e cosa deve rimanere – non ho bisogno di leggere libri di storia del giornalismo, di cercare tra i miei ricordi, di chiedere a chi dentro il giornale ha trascorso più tempo di me. Mi basta guardare i colleghi più giovani mentre entrano ed escono dal numero 28 di via Solferino. Non hanno ancora imparato il disincanto mascherato da autocontrollo, tipico della nostra professione. Mentre passano sotto la scritta verticale al neon – la sera si illumina, insieme al grattacielo sbucato sullo sfondo – nei loro occhi scorre, velocissimo, l'orgoglio di essere lì.

Entro ed esco da quella porta dal 1995. Prima, ogni tanto; adesso che dirigo il settimanale 7 quasi ogni giorno. Molti giornalisti sono stati e sono più importanti di me, per il «Corriere della Sera»; ma il «Corriere» è stato per me il giornale più importante. E lo resterà, anche se dovessi lasciarlo domani.

Avrei potuto arrivare in via Solferino già nel 1990. Me l'aveva proposto Alberto Ronchey, d'accordo con il direttore Ugo Stille. Ma prima, aveva aggiunto, «devo parlarne con Montanelli». Il quale disse no: prima a Stille e Ronchey, ringraziandoli della stima per un suo allievo; e poi a me, spiegandomi che al «Corriere della Sera» ci sarei finito comunque. Ma per qualche tempo aveva bisogno di me al «Giornale». Non ci sono rimasto male: mi è sembrato giusto. Essere utile a chi era stato, per me, indispensabile: un privilegio.

Quando «La Voce» ha chiuso mi hanno chiamato Ezio Mauro, direttore della «Stampa» e Paolo Mieli, direttore del «Corriere». Li ringrazio entrambi: hanno reso meno amaro il nostro glorioso insuccesso; e più serene le mie ultime settimane in America. A Washington D.C., come inviato del «Corriere», aveva base Lucia Annunziata, che leggevo da tempo e avevo conosciuto appena arrivato in città. Lucia era sposata con Daniel Williams, un reporter del «Washington Post». A differenza del sottoscritto, conosceva l'ambiente dei giornali italiani, e aveva un atteggiamento materno nei miei confronti che non mi dispiaceva. L'ho chiamata e le ho detto che, probabilmente, sarei entrato al «Corriere». Lei ha risposto: «Ci vediamo domani, e ti dico quello che dovrai fare quando metti piede in via Solferino; e, soprattutto, quello che dovrai evitare».

L'appuntamento era il giorno dopo, a metà pomeriggio, in una caffetteria di Wisconsin Avenue, al primo piano. Lucia non mi ha detto «Prendi appunti», ma aveva un piglio che non lasciava alternative. Ho chiesto alla cameriera un pezzo di carta, lei ha strappato una pagina dal taccuino. Un foglietto verde a righe, di quelli su cui nei film americani scarabocchiano veloci il conto, in attesa della mancia. Lucia mi ha spiegato chi faceva cosa, le persone di cui potevo fidarmi, poi mi ha detto che al «Corriere» le regole fondamentali erano queste:

1) Non aver fretta.
2) Non lamentarsi.
3) Non arrabbiarsi.
4) Mai alzare la voce, per nessun motivo.
5) Mai vantarsi, anzi farsi perdonare i successi ottenuti altrove.

Quel foglietto ce l'ho ancora. L'ho allegato al primo contratto e l'ho ritrovato scrivendo questo libro. Guest Check 404129. Sotto c'è scritto «*Thank You – Call Again*».

Appena rientrato dall'America, sono andato a Torino a ringraziare Ezio Mauro, che non conoscevo di persona. Il direttore della «Stampa» ricordava un pezzo da Mosca dove raccontavo la fine imminente dell'Unione Sovietica attraverso un'automobilina di latta che dondolava su un balcone di Leninskij Prospekt. Mauro era stato un ottimo corrispondente dall'URSS, negli anni Ottanta, e quell'esordio mi ha fatto piacere. Anche la proposta: l'assunzione come inviato. L'ho ringraziato e gli ho detto la verità: ero lombardo, allievo di Montanelli, il mio posto era in via Solferino. Avrei potuto aggiungere che, per un giornalista, scrivere per il «Corriere» era come, per un calciatore, giocare nell'Inter: il massimo. Ma l'affermazione – a Torino, dentro «La Stampa», di fronte a un direttore juventino – mi è sembrata inopportuna, e ho lasciato perdere.

Quello che non ho detto a Ezio Mauro, anche perché ancora non lo sapevo, era che il «Corriere» non avrebbe potuto assumermi. Me l'ha spiegato a fine giugno il direttore Paolo Mieli, un po' imbarazzato: dopo la chiusura del settimanale «L'Europeo» era necessario trovar posto in RCS a tanti colleghi; e i nuovi ingressi al «Corriere» erano bloccati. Mi ha proposto un contratto come commentatore e articolista; e mi ha consegnato una lettera in cui diceva: «Mi dispiace che il contratto che ti stiamo offrendo non sia esattamente quello che desideravi, e che ti avevo promesso. La cosa, tuttavia, è solo rimandata di qualche mese. Ti assicuro che, dall'inizio del 1996, la tua posizione sarà regolarizzata con l'assunzione come Articolo 1 del Contratto giornalisti».

Ce l'ho ancora, quella lettera, datata 29 giugno 1995. Ma l'ho sempre tenuta in un cassetto.

Volete sapere perché? Avevo capito una cosa: io sognavo di viaggiare. Al ritorno, volevo stare a Crema con la mia giovane famiglia. Ero incuriosito dalla televisione. Speravo di continuare a collaborare con l'«Economist». Intendevo scrivere altri libri (in giugno era uscito *Un italiano in America*, recensito da Gianni Riotta sul «Corriere»). Tutto questo non si poteva fare, rispettando i doveri e gli orari di una redazione. Così ho scelto. Anzi, il caso e Paolo Mieli hanno scelto per me.

Sarei diventato il più interno degli esterni, e il più esterno degli interni – perché il «Corriere», al di là del tipo di contratto, è la casa che ho frequentato e, insieme a molti altri, ho rappresentato per più di vent'anni. Quando, alla fine del 2016, il nuovo editore Urbano Cairo, d'accordo col direttore Luciano Fontana, mi ha proposto di dirigere il settimanale «Sette» – poi ridiventato 7 – non soltanto ho accettato la proposta e l'assunzione, ma una vicedirezione del «Corriere». I galloni, vi assicuro, non mi appassionano. Ma sono convinto di una cosa, e vorrei la ricordassero i colleghi più giovani, quando dovranno decidere le loro carriere: cariche e contratti devono corrispondere agli incarichi, e viceversa. Altrimenti sono guai.

Metà delle incomprensioni e delle amarezze nei giornali nascono da qui. E non è sempre colpa degli editori, diciamolo.

Dal cuore di Miss Italia

Il mio primo articolo sul «Corriere della Sera» è uscito giovedì 14 settembre 1995, in prima pagina, colonna di destra. Parlava di libri e di Miss Italia, o meglio: della curiosa combinazione tra i due elementi.

Leggo con stupore che Anna Valle, Miss Italia 1995, presenterà su Rai 3 una rubrica dal titolo *I libri che mi fanno battere il cuore*. Questo apre un interessante dibattito fisiologico, prima ancora che culturale: come può un libro far battere il cuore a chi non l'ha letto? È forse il contatto della copertina lucida sulla pelle? O la fotografia in bianco e nero dell'autore? I curatori del programma, infatti, non fanno mistero del fatto che la signorina Valle non abbia letto i libri che presenta. I testi di Miss Italia saranno preparati da tre critici letterari che sanno tutto di narrativa e saggistica ma, probabilmente, in guêpière non rendono altrettanto bene.
[...] Certo, esisteranno trentadue telespettatori che, quando la signorina Valle appoggerà il volume al petto, guarderanno il volume. Ma sono casi clinici, personaggi che di libri ne comprano già. Tutti gli altri aspetteranno impazienti che la signorina Valle sposti il libro, per vedere cosa c'è sotto.

Non ho mai saputo cosa pensasse Anna Valle di quell'articolo, ma devo dire che ha portato fortuna a entrambi. La sua carriera televisiva e cinematografica è decollata; e ascoltandola ho l'impressione che, da tempo, i libri li legga davvero. Anche della mia carriera non posso lamentarmi.

A quel pezzo ne sono seguiti altri, da tutta Italia, da tutta Europa e da ogni continente. Dall'editoriale alla didascalia: in ventitré anni, sul «Corriere» ho scritto di tutto. Ho scritto di viaggi e di generazioni, di libri e di politica, di sport e dei media, dell'alba di internet e del tramonto del secolo, di moda (poco) e di cucina (presto), di affari internazionali e malaffare italiano (e viceversa). Ho raccontato personaggi e condotto interviste; ho seguito diverse campagne elettorali negli Stati Uniti e un Festival di Sanremo. Ho seguito Mondiali di calcio e Olimpiadi (tre: poi ho pensato fosse giusto ci andasse qualcun altro).

Ho fatto un conto approssimativo: ho scritto per il «Corriere» circa quattromila articoli (senza contare quanto ho pubblicato sul web). Di questi, metà sono rubriche: ho iniziato con «Tv Sette» (1995-1997), ho proseguito su «Io Donna» (1996-2007), «Sette» (2007-2017) e poi 7 (2017-). Sul quotidiano tengo una rubrica settimanale dal 2001 e l'ho chiamata «Italians» (come il blog/forum aperto nel 1998).

Cos'è una rubrica? Non è un articolo più corto. Non è un pezzo a cadenza fissa. Non è neppure un posto dove un commentatore scrive quello che gli passa per la testa. Una rubrica è un appartamento dentro un palazzo. Un appartamento dove si torna volentieri. Indro Montanelli l'aveva capito. «La stanza» era il posto dove incontrava i lettori, che adorava. «Coi miei lettori io ci vado a letto!» esclamava. Ma erano altri tempi, e certe cose si potevano dire.

L'atteggiamento di Montanelli era impeccabile; ma lo stile di Enzo Biagi nelle rubriche è, forse, insuperato. Indro era il maestro del ritratto, del racconto e dell'invettiva: gli editoriali gli venivano meglio se qualcuno lo faceva arrabbiare (accadeva spesso). Biagi, del *columnist*, aveva la cadenza, l'intuito, la poesia e l'ironia: senza i quali una rubrica è soltanto un testo breve, e non funziona. Procuratevi, se potete, la raccolta che porta il titolo della rubrica, *Strettamente personale*. Dovrebbe essere studiata nelle scuole di giornalismo. C'è l'Italia fotografata con fulminanti polaroid di parole: una delizia professionale.

Enzo Biagi era talmente bravo nella rubrica che, talvolta, riproduceva lo stile in un articolo di fondo: che, per questo, gli veniva meno bene. Esagerava con le citazioni, forse. Ma era impressionante, settimana dopo settimana, la capacità di mescolare dovere di cronaca e riflessione morale, diario pubblico e vicende private. Non troppe: quanto basta. Perché questo è il punto. Il padrone di casa deve saperti parlare dei quadri e dei libri, portarti sul balcone, spiegarti quello che si vede da lì. Altrimenti, non è un buon padrone di casa.

Nella vigna e sul muretto

Ho trascorso più tempo in via Solferino da quando sono direttore di 7 che nei precedenti ventidue anni. Dal 1995 al 2017 ho scritto molto e sono passato poco, ma quando passavo uscivo sempre con un'idea; e spero di averne lasciata qualcuna. Nei primi cinque anni mi sistemavo nella stanza di Montanelli, al primo piano, dove l'interessato avrà messo piede dieci volte («Lo so, mi volete bene al "Corriere", ma ormai mi sento un antenato. E gli antenati stanno bene sui quadri, non vengono a rallentare il lavoro»). Lo aiutavo con le risposte ai lettori, in modo che potesse avere qualche giorno libero.

Non ho mai chiesto una scrivania in via Solferino: non mi serviva. Per quello che facevo – commenti, rubriche, articoli e reportage – non era necessario un ufficio. Preferivo appoggiare il mio portatile dove capitava. Negli ultimi tempi nella stanza di Giuseppe Di Piazza, che poi mi ha aiutato a capire come dirigere un settimanale. Prima, per molti anni, tra i colleghi di Corriere.it, quasi tutti più giovani di me. Entravo, chiedevo «Chi manca oggi?» e mi mettevo al suo posto. Un editorialista con i capelli progressivamente bianchi sulla prua digitale del giornale: qualcuno lo trovava strano, io lo consideravo istruttivo.

Non so se ho aiutato i colleghi di Corriere.it, di sicuro loro hanno aiutato me. Oggi sono caporedattori, inviati, corrispondenti, firme note. Mi piaceva ascoltarli, parlare con Letizia Virtuale (Marco Letizia e Paolo Virtuani) dell'epopea di «Italians», ragionare sui cambiamenti del mestiere. I ragazzi della redazione online – il lottatore Marco Pratellesi, il pirotecnico Iacopo Gori, il fulminante Giovanni Angeli, lo stoico Luca Gelmini e tanti altri – hanno saputo coglierli. Qualcuno invece non ha voluto farlo. In tutti i giornali – non solo al «Corriere» – alcuni colleghi hanno continuato a credere di poter vivere di rendita, contando sulla propria reputazione e su quella della testata. Quando, affacciandosi alla finestra, si sono accorti che il mondo di fuori era cambiato, non hanno cambiato atteggiamento; hanno chiuso la finestra.

Ho visto abnegazione e timore, in via Solferino: per fortuna, la prima era più diffusa. Ma il secondo era mascherato con abilità. Neppure l'evidente calo di risorse – qualsiasi quotidiano l'ha sperimentato, negli ultimi dieci anni – ha convinto alcuni colleghi a modificare il loro atteggiamento. In qualche caso ho provato – in privato, con il tatto che la nostra sfacciata professione consente – a ricordare che certe chiusure finivano per danneggiare i colleghi più giovani e più deboli. Ho ricevuto in cambio sorrisi di sufficienza e considerazioni come questa: il mestiere è una giungla, i nuovi colleghi imparino a sopravvivere, come abbiamo fatto noi.

Oggi è più dura, però. Ai giovani giornalisti, in Italia, vengono offerte, se va bene, collaborazioni e brevi contratti a termine (sono contento che il «Corriere» abbia creato un percorso verso l'assunzione). Non solo: appena mettono piede in redazione, ai nuovi arrivati viene chiesto di produrre tanto, in fretta e da soli. Sarebbe opportuno, invece, che producessero meno, con calma e guidati. Il cottimismo professionale non porta da nessuna parte. Inflaziona il prodotto, invece; stanca il lettore; banalizza le firme e non aiuta a crescere. Non ho la bacchetta magica, e non posso cambiare i metodi di una parte del giornalismo italiano. Posso provare ad aiutare chi lavora con me, però.

Sostenere queste cose non è una dimostrazione di generosità, ma di buon senso. Bisogna investire nel futuro: le risorse umane – termine discutibile, non me ne viene un altro – ci sono. Sono convinto che i nuovi giornalisti siano più preparati, e complessivamente più bravi, di quanto fossimo noi alla loro età. Ricordo una conversazione con Enrico Mentana, a Palazzo Marino, sul palco del Premiolino 2015. A suo giudizio, ai nuovi colleghi mancano fame e fiuto; a mio parere, invece, le nuove leve possiedono anche queste qualità; sanno usare strumenti diversi; e hanno coraggio, perché navigano in acque agitate senza conoscere la destinazione.

Sono orgoglioso dei giovani giornalisti che vedo crescere a 7; e dei colleghi meno giovani che li incoraggiano. Il nostro settimanale sta diventando un vivaio del «Corriere della Sera». Non l'unico: siamo pieni di nuovi talenti, in via Solferino. Guai se li lasciamo scappare; o li facciamo appassire, che è peggio.

Non sarà facile. Gli ultimi anni, per la stampa quotidiana, sono stati tellurici. Internet e lo smartphone non hanno soltanto cambiato – e complicato – il modello economico, come vedremo più avanti. Hanno trasformato il rapporto con i lettori. Non sarà facile convincervi che il nostro lavoro ha un valore, e questo valore ha un prezzo. Nessuno, al ristorante, chiede di bere un bicchiere di vino senza pagarlo; c'è invece chi pretende che un giornale sia gratuito. Dovremo persuadervi che il piacere dell'informazione può competere col piacere di quel vino. Non sarà facile, ma possiamo riuscirci. Non ci sono vigne, in via Solferino, ma un altro tipo di vendemmia è possibile. Dovremo mettere insieme esperienza, energia e fantasia. Stare seduti su un muretto a bofonchiare, invece, non serve a niente.

Due direttori, diciannove anni

Del proprio direttore si può scrivere solo dopo aver lasciato il giornale, oppure quando se ne va lui. E bisogna averlo conosciuto per anni: anche se da lontano, dove la prospettiva talvolta è migliore.

Paolo Mieli mi ha accolto in via Solferino nel 1995, nel modo che ho raccontato, e per questo gli sarò sempre debitore. L'ho ritrovato in occasione della sua seconda direzione, dal 2004 al 2009. In entrambe le occasioni l'ho frequentato poco. Quando lui c'era, io viaggiavo. E dei miei temi – società, innovazione, esteri – in direzione si occupavano altri. Lui era affascinato dalla storia e dalla politica. E di politica, ai tempi, io scrivevo pochissimo.

Un po' mi dispiace, perché avrei voluto conoscerlo di più. Mi ha sempre colpito come sapesse scivolare su alcune cose, insistere a sorpresa su altre, trovare la sintesi in quattro parole scherzose. Solo in alcuni uomini di Chiesa ho riscontrato questo talento. Cardinalizio, oserei dire. Ecco, se un giorno vedessi Paolo Mieli in un quadro, vestito di porpora, non sarei stupito. Neanche lui, probabilmente. Sorriderebbe dalla parete, sussurrando: «Guarda che ci tocca fare». Di Paolo Mieli ho apprezzato altre cose, e adesso le posso dire. L'accoglienza riservata a Indro Montanelli, nel periodo più difficile della sua vita, dopo la chiusura della «Voce». Non tanto perché si è offerto di cedergli la sua poltrona – gesto nobile, prospettiva poco realistica – quanto per averlo fatto sentire amato. È un verbo, questo, che il caustico toscano non mi avrebbe perdonato. Eppure è così. Montanelli, nel corso della sua vita, è stato ammirato, invidiato e osteggiato (non so quale di queste cose gli procurasse più soddisfazione). L'amore gli è arrivato solo da pochissime donne e dai lettori. Dai colleghi, quasi mai. Al «Corriere», dal 1995 al 2001, gli hanno voluto bene in tanti; Paolo Mieli, forse, più di tutti.

Un secondo merito: saper riconoscere i propri errori. Non parlo dell'entusiasmo per personaggi che non lo meritavano (sbagliamo tutti, un direttore ha più possibilità di farlo). Difficile è ammettere di aver mancato una svolta importante. Paolo Mieli non aveva capito che internet avrebbe trasformato il mondo – anche la politica a lui tanto cara, come stiamo vedendo. Considerava la rete una moda passeggera. Ci ha messo un po' a ricredersi, ma lo ha fatto. E, quando lo ha fatto, lo ha ammesso. Ricordo il decimo anniversario del forum «Italians», in Sala Buzzati al «Corriere», nel 2008. Paolo Mieli ha detto che, sulla questione, io avevo capito molto e lui poco. Più di una volta – devo dire – è accaduto il contrario. Siamo andati d'accordo, Paolo e io, ma ho l'impressione che ognuno trovasse l'altro stupefacente. Quindi, interessante. Lui romano, io lombardo. Lui amante della storia, io della geografia. Lui raffinato interprete della politica italiana, io ipnotizzato dai movimenti del mondo. Lui smaliziato tra i giornali, io talvolta ingenuo. Quando, nel 2004, mi è stata offerta la direzione della «Gazzetta dello Sport» ho educatamente rifiutato, per due motivi: il calcio mi piaceva, ma avrei finito per farne indigestione. E poi, come tifoso pubblico e passionale dell'Inter, non sarei stato credibile. I lettori d'altre fedi calcistiche si sarebbero ribellati, e un titolo come *Juve, facci sognare!* era al di sopra delle mie possibilità. Ricordo la faccia di Mieli: pensava che lo prendessi in giro (invece ero serio, Paolo, e avevo ragione!).

Anche Ferruccio de Bortoli è stato mio direttore per due volte: dal 1997 al 2003, e dal 2009 al 2015. Mio figlio Antonio, da bambino, lo chiamava *debòttoli*. Gli sembrava il nome del personaggio di un fumetto, quindi di una persona importante. Quando *debòttoli* telefonava io mi facevo trovare, e poi restavamo a parlare.

La chiusura della seconda direzione me la ricordo bene. Un'uscita di scena annunciata da mesi, in modo irrituale, che avrebbe potuto portar sconquassi. Non è accaduto: per il suo carattere e per quello del «Corriere». Ci sono giornali-stazioni – si arriva, si cambia, si prosegue – e giornali-tatuaggio: sono indelebili, rimangono addosso. Salutando la redazione, dov'era entrato quarantadue anni prima, Ferruccio ha detto: «Lavorare al "Corriere" è stato ed è un onore. Una gioia intima, costante. Si fa parte di un club, si svolge una missione civile». So che alcuni sorrideranno. Il cinismo italiano non risparmia niente.

Mi chiedo se ci pensino mai, i manager che transitano nei giornali come stelle filanti, provenienti da una galassia industriale e diretti a un'altra, carichi di giustificazioni e buonuscite. Ancora oggi, per noi, il giornalismo non è un passaggio, né un ripiego; è una scelta che riempie la vita. Una scelta che il «Corriere» continua a fare, nonostante tutto, giorno dopo giorno, oggi con un nuovo editore. Per essere chiari: non è stato il «Corriere della Sera» di de Bortoli ad aver messo in crisi i conti RCS. Sono stati certi dirigenti di RCS ad aver messo in crisi il «Corriere», de Bortoli e tutti noi.

Una cosa ho sempre ammirato di Ferruccio: la capacità di ascoltare e consigliare, che non è comune. Quando mi è stata offerta una candidatura sicura in Senato, nel 2013, mi ha implorato di non accettare. Il verbo non è eccessivo: non avevo mai sentito Ferruccio così preoccupato, e l'ho preso sul serio. Mi ha detto che sarebbe stato un danno per il «Corriere» – molti lettori non avrebbero capito – e un grave errore per me: non era la politica che mi attirava, ma la novità; e certe novità si smungono in fretta. Credo sia merito di Ferruccio, di mia moglie Ortensia e di mio figlio Antonio se non ho commesso un errore di cui mi sarei pentito. Avrei trovato faticosa la disciplina di un partito, insopportabili i compromessi della politica, dolorosa la rinuncia al giornalismo.

L'ho ammirato per come ha saputo resistere alle pressioni di due uomini diversi come Silvio Berlusconi e Matteo Renzi. Della diatriba con il primo, che ha avuto strascichi giudiziari, so poco più di quanto ho letto e sentito in redazione. Ma posso testimoniare che, nello scontro con Matteo Renzi, l'intemperanza sta sul lato fiorentino: ho provato a spiegare al giovane presidente del Consiglio – appena prima che assumesse la carica, e quando stava per perderla – che non esisteva alcun complotto contro di lui, in via Solferino. Ha sorriso. Ma quel sorriso l'avevo già visto: sul volto di Massimo D'Alema, di Romano Prodi, di Silvio Berlusconi, di Mario Monti, perfino di Enrico Letta. Chi comanda è sempre convinto che il «Corriere» ce l'abbia con lui; anche quando non è vero.

Posso rimproverare qualcosa a Ferruccio de Bortoli? Quello che rimprovero a me stesso, in questa nuova esperienza di direzione. Forse non abbiamo dedicato abbastanza energie a rimuovere le incrostazioni che il «Corriere», come ogni macchina carica di chilometri, ha accumulato. Talvolta siamo stati pazienti con chi vuole proteggere i propri privilegi (e, ovviamente, li chiama diritti). A chi lavora molto si chiede moltissimo; a chi lavora poco non si chiede quasi nulla, sapendo che comunque lo farà male e malvolentieri.

Ho lavorato bene con FdB e ne ho apprezzato la lealtà. Ha accolto quasi tutte le mie proposte; i rifiuti li ha elegantemente presentati come rinvii. Oppure li ha motivati. Un giorno Indro Montanelli disse, davanti a Ferruccio: «Vorrei fosse Beppe a continuare la mia rubrica di posta con i lettori». Poche settimane dopo la morte, Ferruccio mi ha chiamato (ricordo dov'ero, accovacciato su una spiaggia in Gallura, col telefono in mano): «Quello spazio devo assegnarlo a Sergio Romano» mi ha detto, e mi ha spiegato perché. Ho risposto: va bene. Abbiamo deciso di inaugurare la rubrica «Italians», il giovedì. Avrebbe ereditato lo spazio occupato a lungo da Enzo Biagi, e preso il nome dal mio forum online.

Ho cercato di lasciarlo tranquillo, Ferruccio, di non sommergerlo di dubbi, entusiasmi e malumori. Sui direttori, insospettabili giornalisti di ogni età trasferiscono aspettative infantili: chiedono comprensione, rassicurazione, congratulazioni. Tra noi non ce n'era bisogno. Ci stimavamo e ci osservavamo: lui milanese, io provinciale. Io vivace, lui composto. Lui stanziale, io viaggiatore. Io interista, lui milanista. Negli ultimi vent'anni, a Milano, solo Javier Zanetti è rimasto più pettinato di Ferruccio de Bortoli. E questo saluto nerazzurro, a un rossonero convinto, è un modo per chiudere senza commuoversi. Perché questo è vietato, in via Solferino.

Questo, e alzare la voce.

Una questione di tono

Mi sono chiesto spesso perché mi sia trovato così bene al «Corriere» e con «The Economist»; e abbia faticato, invece, a trovare la misura alla «Voce» e in Rai (dove ho condotto quattro programmi, come racconterò). Una spiegazione potrebbe essere questa: preferisco essere la cravatta colorata su un abito classico, che una cravatta classica su un abito fin troppo sgargiante.

Ogni giornale è un'atmosfera. Il «Corriere» non è soltanto i muri di via Solferino, le intuizioni di Luigi Albertini, le fatiche di Aldo Borrelli, le ansie di Montanelli seduto sui libri al primo piano, i rituali di Gaetano Afeltra, le sferzate di Pasolini, i ricordi delle passeggiate di Dino Buzzati, che arrivava da via Vittorio Veneto e poi spariva nella notte. Il «Corriere» non è solo la somma degli eroismi e degli egoismi – piccoli e grandi – che, dal 1876, hanno segnato la storia del primo quotidiano italiano. C'è di più. Ogni giornale, come ogni azienda e ogni famiglia, ha un timbro riconoscibile, diverso da tutti gli altri.

Anzi: ha un colore, un sapore, un rumore e un odore.

Non conosco il colore del «Corriere». Ma è una tinta unita, sulla quale è consentito disegnare la propria traccia. L'abbiamo fatto in molti, in tanti anni. Tracce nobili e tracce imbarazzanti; tracce memorabili e tracce insignificanti; tracce di lemuri che si credevano leoni e di leoni cauti come lemuri (pensate a Eugenio Montale); tracce che oggi sembrano autostrade e domani non troverà più nessuno; tracce oggi invisibili che diventeranno strade e porteranno lontano. Penso – per restare a tempi recenti – che rimarrà l'epopea della «Lettura» e l'intuizione della «27esima Ora», che ha consentito al «Corriere» di sbarcare su territori nuovi. Penso che rimarrà il ricordo di molti colleghi magari poco noti all'esterno: ma sono quelli che creano un «Corriere» nuovo tutti i giorni, ed è la cosa più difficile.

Non conosco il sapore del «Corriere», ma so che somiglia a quello di Milano. La città, negli ultimi venticinque anni, ha avuto il coraggio di mettersi a prua dell'Italia. Ha preso qualche onda in faccia, ma ha indicato la rotta. Questo l'ha resa attraente per tanti giovani connazionali di talento e buona volontà. Ragazzi nati e cresciuti in ogni regione. Milano li ha accolti, dimostrando di essere l'America d'Italia: rinnovata e reinventata con l'aiuto degli ultimi arrivati, in una continua palingenesi. Alcuni fanno i giornalisti in via Solferino: è entusiasmante sentire il concerto di accenti, per le scale e nei corridoi.

Milano ha un buon sapore, come una torta rotonda: il suo destino è muoversi. «È una città di slanci, temperati da un garbato scetticismo» sosteneva Alberto Savinio. Da qualche tempo, la ruota ha ripreso a girare. Expo non è stato il punto di partenza né un punto di arrivo: è stato una ratifica. Il Salone del Mobile/Design Week non è il ritrovo annuale di un'industria e alcuni mestieri; è, come Bookcity, la festa della città aperta. E Milano, quando si apre, respira e fiorisce. Quando si chiude, sospira e appassisce. Lo stesso vale per il «Corriere»: i periodi più bui della sua storia sono quando ha avuto paura.

Non conosco il rumore del «Corriere», ma so che non mi ha mai spaventato. È anche un rumore di soldi, e non mi dispiace. «Io capovolgo Milano e voi affrettatevi a raccoglierne il contenuto in una busta di pelle nuova nuova: ecco, sono gli affari» scriveva nel 1949 Giuseppe Marotta, in uno dei più affettuosi ritratti della città (*A Milano non fa freddo*). In settant'anni è cambiato molto: questo no. La temperatura di Milano dipende dal cuore, ma si misura intorno al portafoglio. E il «Corriere» è un ottimo termometro. Non sorridete: è una febbre salutare, e riscalda l'Italia.

Il rumore del «Corriere» è indecifrabile, ma di sicuro non è un urlo. So che qualcuno non ci crederà, ma in ventitré anni non ho mai alzato la voce con qualcuno, e nessuno l'ha alzata con me. Gli scontri ci sono nei conventi, figuriamoci nei giornali: ma al «Corriere», da quanto ho potuto vedere, vengono contenuti. È come se i mobili che Luigi Albertini copiò dal «Times» a fine Ottocento – a Londra non li hanno più, a Milano li abbiamo ancora – possedessero un potere: quello di insegnare a tacere, sapendo che colpisce più una pausa di una sfuriata, e un aggettivo al momento giusto può bastare. Qualcuno, tra quelli che sono usciti sbattendo la porta, l'ha definita ipocrisia. Io preferisco chiamarla cortesia. Non conosco l'odore del «Corriere», ma credo sia quello dell'attesa. Non a caso Dino Buzzati aveva trasfigurato la redazione, fino a farne la Fortezza Bastiani nel *Deserto dei Tartari*. È un'attesa che molti hanno riempito in tanti modi. Ma il comune denominatore resta, al di là delle facce, delle storie e delle carriere. Via Solferino è un posto dove è successo molto e può sempre succedere qualcosa. Chi volesse comprendere perché il «Corriere» è un monumento civile italiano – più importante di tanti altri – dovrebbe trascorrere una giornata nel nostro archivio. Capirebbe che quasi tutto è già successo, e qualcuno l'ha raccontato.

Se lo ricordi, chi comanda in Italia. È solo di turno. Passerà. Il «Corriere della Sera» resta.

5
Miti e artigianato

Idee sui caloriferi

È andata così. Il mio primo libro, *Inglesi*, uscito in Italia nel gennaio 1990, era stato tradotto e pubblicato a Londra dall'editore Hodder & Stoughton nell'agosto 1991. Con lo stesso titolo, che in inglese doveva sembrare esotico. Con mia grande sorpresa, ha cominciato subito a vendere bene. Mi hanno aiutato alcuni passaggi radiofonici e televisivi: prendevo in giro gli inglesi, e gli inglesi amano farsi prendere in giro (trovano così la conferma di essere unici). In una di queste occasioni Terry Wogan, celebre conduttore della BBC, mi ha detto: «Quando leggo quello che scrivi di noi, non so se darti un bacio in bocca o un pugno sul naso». Ho declinato entrambe le proposte, ma l'apparizione in prima serata – unita a una recensione sul «Times», firmata da Stephanie Calman – si è rivelata utile. Anzi, decisiva. All'inizio di settembre, mentre ero a Mosca a seguire la coda del goffo colpo di Stato, il libro era tra i bestseller del «Sunday Times». Terza posizione. Ero sbalordito, quasi quanto il mio editore.

Una conseguenza di questa inattesa notorietà è stata la telefonata di Anne Applebaum, giovane e brillante collega americana, conosciuta a Varsavia. Lavorava per «The Economist». Daniel Franklin, il capo della sezione «Britain», voleva conoscermi. Ci siamo incontrati a pranzo, a Londra, nell'estate del 1992. Daniel mi ha chiesto, senza preamboli: «Perché non vieni a lavorare con noi?». Ho risposto, lusingato: perché sono italiano, scrivo in italiano e lavoro per un giornale italiano. Lui, imperterrito: «Abbiamo un programma per colleghi stranieri. Stanno con noi in redazione per sei/otto mesi. Noi conosciamo loro, loro conoscono noi, qualcosa salta fuori. Se n'è appena andato Mike Kinsley, americano. Un italiano, adesso, sarebbe perfetto». Non ho chiesto perché, e ho accettato.

Una mattina di febbraio 1993 mi sono presentato alla portineria dell'Economist Building, al numero 25 di St James's Street, Londra SW1. Dove, sorprendentemente, mi aspettavano. I giornali inglesi sono un posto strano, ho pensato.

Gli uffici dei giornalisti correvano lungo il perimetro del dodicesimo e tredicesimo piano e godevano di una vista spettacolare. Credo d'aver trascorso i primi tre giorni a guardare il panorama. Londra, ai tempi, era una città orizzontale. Dall'alto si vedevano le distese di case bianche verso nord, la cattedrale di St Paul, la striscia bluastra del fiume, le macchie verdi dei parchi, i bus che avanzavano come insetti panciuti nelle strade affollate. Appena sotto, vicini, St James's Palace e Buckingham Palace. Le monarchie amano farsi ammirare dal basso; vederle dall'alto è più affascinante.

Quando ho smesso di guardare giù, ho cominciato a guardarmi intorno.

«The Economist», ho capito subito, non era un settimanale. Non era neppure un giornale (sebbene amasse definirsi *a newspaper*). Era una sofisticata macchina di elaborazione intellettuale. Metà Oxford e metà Cambridge; un po' inglese e un po' americana; vagamente protestante e ragionevolmente ebraica; autorevole e fantasiosa. I direttori, per tradizione, non potevano avere più di quarant'anni al momento della nomina; dovevano infatti portare pensiero nuovo, non ripetere cose già fatte.

Nel 1993 ho assistito al passaggio di consegne: Rupert Pennant-Rea, in carica da sette anni, se ne andava alla Banca d'Inghilterra, con l'incarico di vicegovernatore; per sostituirlo era stato indetto un concorso, aperto a interni ed esterni. I candidati dovevano presentare il proprio progetto per «The Economist» del futuro: una pagina, non di più. Poi sarebbero stati esaminati dal *board of trustees*, che avrebbe fatto la sua scelta e, da quel momento, avrebbe perso ogni potere sulla conduzione del giornale, in modo da garantire al nuovo direttore la massima autonomia. Ricordo alcuni candidati: il funambolico Mike Elliott, che poi sarebbe andato a dirigere «Time» e «Newsweek»; Daniel Franklin, che mi aveva reclutato; e l'analitico Bill Emmott, che somigliava a Lenin durante la Rivoluzione d'Ottobre. E, come il suo sosia, la spuntò.

L'aperta, leale competizione interna – uno spettacolo sconvolgente, per chi veniva dalle misteriose cooptazioni della stampa italiana – mi insegnò un'altra lezione affascinante: il mondo del lavoro, forse il mondo in genere, si divideva in Teste Rotonde e Cavalieri (*Roundheads* e *Cavaliers*). La distinzione risale ai tempi di Oliver Cromwell. Le Teste Rotonde volevano dare più forza al Parlamento e si opponevano a Carlo I; i Cavalieri difendevano il potere assoluto e il diritto divino del monarca. I primi tagliavano i capelli molto corti (da qui il nome); gli altri li tenevano più lunghi. La distinzione politica e tricologica s'è persa, ma all'«Economist» amavano la dicotomia, e continuavano a giocarci. Serviva a individuare due tipi umani: quello logico-razionale e quello intuitivo-sentimentale.

Le due anime del giornale si rispettavano a vicenda, e si consideravano entrambe indispensabili al successo comune. La fantasia dei Cavalieri (originali, brillanti, rapidi nella sintesi) aveva bisogno dell'affidabilità delle Teste Rotonde (precise, asciutte, brave nell'organizzazione). Nessuna gerarchia, solo un'amichevole classificazione: estesa anche ai colleghi stranieri. Sono certo – dopo trenta righe del primo pezzo e appena ho aperto bocca in riunione – di essere stato collocato tra i Cavalieri: più abile con le parole che con i numeri, più dedito all'invenzione che alla constatazione.

Elaborare idee – suggerirle, coltivarle, contestarle – era un esercizio continuo, e sembrava appassionare tutti. Chi era incaricato di scrivere un *leader* – così si chiamano i commenti all'inizio del giornale – entrava nell'ufficio di un collega competente sul tema, e chiedeva di ragionare insieme (ho riportato l'abitudine in Italia, dove mi guardavano come se fossi lì per rubare la biro). Una gerarchia esisteva – c'era un direttore, un paio di vicedirettori, i responsabili delle sezioni (*Britain Editor, US Editor, Asia Editor*) e delle aree tematiche (*Foreign Editor, Business Editor, Books Editor*) – ma una buona idea veniva sempre apprezzata. Se avevi una buona idea, all'«Economist», potevi fare quasi tutto.

L'occasione canonica per presentare proposte e suggerimenti era la riunione del lunedì mattina, in cui s'impostava il giornale. Dietro l'apparente informalità le regole esistevano: bisognava capirle. I posti a sedere, per esempio, non erano assegnati, in teoria. Di fatto, quelli davanti erano riservati ai colleghi più autorevoli. I più giovani e i nuovi arrivati, compreso il sottoscritto, potevano sedersi dietro, dove volevano. Anche sui caloriferi – termoconvettori, per essere precisi –, una cosa che non avevo mai visto. Conoscevo lo stoicismo britannico, ma lo spettacolo di colleghe e colleghi che si congelavano i glutei d'estate, e se li lessavano d'inverno, era nuovo e affascinante.

La mia preoccupazione era la scrittura. Sono nato in Italia da genitori italiani, ho frequentato scuole italiane, l'inglese l'ho imparato studiando, leggendo, viaggiando. Come posso scrivere per il settimanale più prestigioso del mondo? mi chiedevo, con una certa ansia. Mi preoccupavano le forme idiomatiche, la sintassi, l'ortografia. Poi, un giorno, un collega di ottima scrittura e notevole reputazione – John Parker, oggi a capo dell'ufficio di Pechino – è entrato nella mia stanza, si è seduto alla scrivania e mi ha chiesto: «*Beppe, how do you spell "maintenance"?*», come si scrive *maintenance* (manutenzione)? Un attimo, ho pensato: questo ha studiato a Oxford. E chiede a me, nato a Crema (Cremona), come si scrive una parola inglese? Lo sapevo, gliel'ho detto. Da quel momento ho superato ogni complesso di inferiorità. Oggi ho il sospetto che John l'abbia fatto apposta: per rassicurarmi. Certi inglesi sono capaci di qualunque cosa.

Dell'«Economist» mi piacevano molti aspetti, oltre al panorama e ai colleghi. Mi piacevano i riti quotidiani, per esempio. Il caffè si andava a prendere in una stanzetta al centro del tredicesimo piano, senza finestre. Le tazze erano condivise, ma andavano risciacquate dopo l'uso: lasciarle sporche era considerato un sacrilegio. Si trattava di un caffè isolano, una brodaglia trasparente; eppure mi ci sono affezionato. Quel caffè era la mia rassicurazione liquida. Un aiuto ai pensieri. Quello che gli scrittori americani un tempo chiedevano all'alcol, e i giornalisti italiani continuano a pretendere dall'espresso, gli inglesi lo ottenevano da quell'acqua marroncina. Ogni tanto cambiava sapore, e la chiamavano tè.

Mi piaceva il nuovo biglietto da visita con il logo rosso «The Economist» – quarantott'ore dopo il mio arrivo mi era già stato consegnato (al «Corriere della Sera» è arrivato dopo ventidue anni!). Mi piacevano le abitudini: lunedì riunione, martedì scrittura, mercoledì *buffet lunch* in redazione e chiusura delle pagine, giovedì mattina revisione dei pezzi, chini sulle bozze. Il venerdì – giorno di uscita in edicola – si cominciava a pensare al numero successivo. Al mattino apparivano borse, valigie, sacche da golf: la prova che i colleghi avevano programmi per il weekend. Intorno alle tre del pomeriggio era come se qualcuno avesse sparato un colpo di pistola in mezzo a un branco di gatti: scomparivano tutti. Restavo io, a guardare Londra di fuori e la mia gioia di dentro. Stavo imparando cose nuove, ed era una sensazione bellissima.

Nella stanza con Mary Ellen

La stanza assegnata non era tutta per me. La dividevo con una collega irlandese, nata in America. Si chiamava Mary Ellen Synon. Mi era simpatica: aveva opinioni taglienti su tutto e tutti, in particolare sugli inglesi, e amava condividerle con l'italiano di passaggio. Mi aiutava, Mary Ellen, a decifrare i codici del nuovo ambiente. Era gentile, a suo modo magnetica: aveva occhi blu, capelli castani e un portamento fiero. Entrava e usciva dalla stanza come un colpo di vento. Interrompeva la conversazione, salutava con un monosillabo e scompariva. Rideva di gusto, ogni tanto; ma non era felice. In un paio di occasioni l'ho sorpresa a piangere. Non sapevo perché e intuivo che non fosse opportuno chiederlo.

L'ho capito più avanti, all'inizio del 1995, quando cro già rientrato in Italia. Mary Ellen era l'amante di Rupert Pennant-Rea. Si erano conosciuti nel 1976 al Trinity College di Dublino, si erano ritrovati all'«Economist» dieci anni dopo. Lui era il direttore, lei una redattrice. Lui era al terzo matrimonio, lei era innamorata e convinta che, prima o poi, lui avrebbe lasciato la moglie. Poco dopo il mio arrivo, come ho scritto, Pennant-Rea era tornato alla Banca d'Inghilterra, con la carica di vicegovernatore. Lei era rimasta al giornale. Nella mia stanza. O meglio: io nella sua.

Mary Ellen è restata – nella stanza e nella relazione – ancora per un anno. Finché Rupert l'ha informata che non aveva intenzione di disfare nuovamente la famiglia. A questo punto lei s'è rivolta a un tabloid della domenica, il «Sunday Mirror», raccontando la vicenda, per filo e per segno: compresi gli incontri appassionati sui tappeti della Banca d'Inghilterra. Senza accettare denaro, a differenza di altre amanti deluse di uomini potenti, e chiudendo con una frase che mi è rimasta impressa. Quando le hanno chiesto perché l'avesse fatto, ha risposto: «*Never mess with an Irish woman*», mai fare i furbi con una donna irlandese.

Rupert Pennant-Rea si è dimesso, qualche giorno dopo le rivelazioni. Con dispiacere della City, dov'era – ed è ancora – stimato. Molto è stato scritto sulla vicenda; compreso il fatto che Mary Ellen avesse preparato accuratamente la sua vendetta – conservando biglietti aerei, chiavi d'albergo e altre prove della relazione – e portasse reggicalze imperiosi. Particolari che ignoravo, ma non avrebbero cambiato la mia opinione su di lei.

Mary Ellen, con la sua combinazione di incoscienza e intelligenza, era fatta per mettersi nei pasticci; ma era simpatica. Così qualche anno dopo – credo fosse il 2002 – in occasione di un viaggio a Dublino l'ho cercata. Abbiamo passato una serata di chiacchiere e ricordi, senza addentrarci nella vicenda che l'aveva resa nota. Prima di salutarci, Mary Ellen mi ha chiesto se conoscevo un bravo collega a Bruxelles: aveva in programma un'inchiesta sull'Unione Europea e aveva bisogno di aiuto. Le ho dato un nome e un numero di telefono, e l'ho salutata.

L'anno dopo è toccato a me andare a Bruxelles per lavoro, e ho chiamato quel bravo collega. Mi ha detto di passare a casa. Ho suonato alla porta ed è comparsa Mary Ellen. Sono rimasto a bocca aperta: non capivo. Poi lei, sorridendo, ha spiegato: si erano conosciuti grazie al mio contatto, si erano piaciuti, ora vivevano insieme. A Bruxelles Mary Ellen ha trascorso dodici anni, lavorando anche, per diciotto mesi,

nell'ufficio stampa del Parlamento europeo. Nel corso di una recente intervista radiofonica le è stato chiesto: «Perché l'ha fatto, visto che detesta l'Unione Europea?». Risposta: «Mi sono paracadutata dietro le linee nemiche. E da lì inviavo rapporti».
Non una collega qualunque, Mary Ellen Synon.

Un cremonese a Londra

Al quattordicesimo piano dell'Economist Building – la redazione ha lasciato l'edificio nel 2017, s'è trasferita sullo Strand – c'era una sala da pranzo con grandi vetrate. Lì venivano invitati uomini di governo e banchieri affinché, ammansiti dalle pietanze del cuoco spagnolo Rafael, aiutassero a comprendere gli arcani del mondo. Personaggi interessanti; tuttavia, facevano sempre gli stessi mestieri: politica, economia, diplomazia. Perciò, quando i colleghi dell'«Economist» hanno saputo che conoscevo Gianluca Vialli, allenatore-giocatore, si sono illuminati: «*Bring him over!*», portalo qui! Così, di giovedì, siamo arrivati. L'ospite in gessato blu, fazzoletto bianco nel taschino. Io in completo grigio. Entrambi con la cravatta e le scarpe nere, stringate.

Naturalmente, eravamo gli unici vestiti da inglesi. Gli inglesi erano vestiti da italiani (giacche larghe, scarpe comode). Uno, da calciatore. Era il capo della sezione «Europa», Xan Smiley, che si era danneggiato il ginocchio giocando a calcio con una banda di adolescenti, e riusciva a indossare solo pantaloncini e scarpe da ginnastica. Due colleghe – Anne Wroe, responsabile della sezione «USA» ed Emma Duncan, che scriveva di comunicazioni e media – erano eleganti e colorate, e parlavano di calcio con competenza. Vialli mi ha guardato. «Tutto regolare» ho detto.

Ho notato subito, tuttavia, un leggero imbarazzo. I colleghi, che sapevano tener testa ai primi ministri, sembravano intimiditi davanti al celebre calciatore (aveva risollevato il Chelsea, si era fatto benvolere a Londra). Il calciatore appariva emozionato. Sapeva – anche perché gliel'avevo detto – d'essere il primo *footballer* ospite dell'«Economist» in 156 anni di storia. Gianluca Vialli ha mangiato poco, ma capiva le domande e rideva alle battute. Rispondeva con un inglese idiomatico. Sosteneva d'averlo imparato da un mio libro. Ero certo non fosse vero, ma sono rimasto ammirato dal tempismo della bugia.

Lo osservavo, mentre affrontava l'assalto di quegli insoliti tifosi. Il gessato abbinato al cranio rasato lo rendeva vagamente inquietante: come se il duca di Westminster fosse apparso vestito da stopper, con i polpacci al vento. I polsi e il colletto slacciato denotavano scarsa dimestichezza con le camicie di Jermyn Street. Il cappotto blu con il colletto di velluto lo avrebbe reso indimenticabile, negli spogliatoi di uno stadio; dentro l'«Economist» era una prova di buona volontà. Le immense scarpe nere – inglesi, suppongo – apparivano vagamente clownesche. Non più del mio accento lombardo o della mia camicia a righe, devo dire.

Ma Gianluca Vialli era bravo. Non sbagliava una risposta, e la sua modestia – calcolata, non avevo dubbi – lo rendeva gradito: gli inglesi ammirano chi sa recitare, a patto che lo faccia bene. Quando gli hanno chiesto a quale delle sue squadre si sentisse più legato, ha risposto: Sampdoria. «Avevo vent'anni, ed era come essere al *college*. E i compagni di *college* non si dimenticano più.» Quando parlava di Ken Bates – ai tempi presidente del Chelsea – gli occhi lunghi s'illuminavano. «Ken mi chiama *old bugger*, vecchia canaglia. Anzi: *bald old bugger*, vecchia canaglia pelata.» I colleghi inglesi mi guardavano ammirati. «Un italiano che conosce le parolacce, e sa perfino pronunciarle. Dove l'hai pescato?» Provincia di Cremona, signori.

Mentre il *lunch* procedeva, e i commensali si rilassavano, ho avuto la prova di qualcosa che sospettavo: Vialli funzionava, nell'Inghilterra di fine secolo, perché era un misto di strategia e ingenuità, cortesia e durezza. Una nazione che aveva mandato l'efebico Tony Blair a Downing Street non poteva non amarlo: Luca Vialli, allenatore-giocatore-trascinatore, era il rimpianto per i capi rocciosi di una volta. Che fosse italiano, era secondario; il Chelsea era, ed è rimasto, una sorta di ONU del calcio, dove sono rappresentate molte nazionalità. È una squadra di Londra e incarna, insieme all'Arsenal, un aspetto della metropoli: l'apertura a tutto ciò che è nuovo, purché sia serio, interessante, e funzioni.

Luca Vialli ha detto di essere bene inserito in città. Ha raccontato quand'era andato per la prima volta da Sainsbury's, al supermercato, e ci era rimasto tre ore, tant'era felice di sentirsi uno qualunque. Quando la mattina ci eravamo incontrati a casa sua – un appartamento di Eaton Square, mimetizzato tra i colonnati – Vialli mi aveva raccontato con entusiasmo che prenotava i biglietti del cinema al telefono, guardava il film col popcorn sulle ginocchia, poi prendeva un taxi che sbucava con la luce accesa da una curva, e tornava a casa. Erano piccoli miracoli urbani ben noti agli estimatori di Londra. Raccontateli a un tabloid, e vi amerà per sempre (be', finché non incappate in uno scandalo particolarmente gustoso).

Ci sono anche cose dell'Inghilterra che Vialli diceva di amare meno. Ma, guarda caso, erano le stesse che molti inglesi avrebbero voluto cambiare. Non gli piaceva – a proposito di giornali – la ferocia della stampa popolare. Non amava lo snobismo e gli aristocratici, diceva, non lo facevano impazzire. Trovava eccessiva la riservatezza, e l'imbarazzo che portava due amici a parlare del tempo. Era perplesso di fronte alle case («Talvolta sono tutta facciata!») e irritato da alcune sciatterie. «Perché certi inglesi girano con i buchi nelle calze?» mi ha chiesto. Per farci credere d'avere cose più importanti cui pensare, gli ho risposto.

Parlando dell'Italia, alternava critiche e lodi. Le

squadre italiane, ha spiegato, erano meglio organiz-
zate e professionali; quelle inglesi, più entusiaste e
dilettantesche («Vi rendete conto che l'altra notte,
dopo la partita, siamo tornati da Middlesbrough in
pullman, e siamo arrivati alle tre del mattino? In Italia, una squadra affitta un aereo»). Ma ha aggiunto:
«Non sono sicuro di desiderare che il calcio inglese
compia questo passo avanti: diventerebbe meno divertente». Davanti a un pubblico attento, e felice di
non parlare per due ore di finanza e politica estera,
Vialli ha spiegato: «Ai giovani calciatori italiani viene insegnato che l'importante è vincere a tutti i costi. È chiaro, poi, che quelli si tuffano per cercare il
rigore. Non hanno torto, i tifosi inglesi, quando negli stadi intonano *Same Ities / Always cheating...* I
soliti italiani / Imbrogliano sempre...». Poi si è messo a canticchiarlo, sul motivo del Big Ben. «The Economist» ascoltava, assorto.

La conversazione è proseguita fino ai saluti e ai
regali (un'agenda, un ombrello rosso). Luca Vialli,
classe 1964, diplomato geometra all'istituto Vacchel-
li di Cremona, aveva l'aria soddisfatta; i miei colleghi, che hanno chiesto e ottenuto gli autografi per i
figli – i selfie ai tempi non esistevano – sembravano
più soddisfatti di lui. In ascensore l'ospite mi ha detto che quando era arrivato a Londra sapeva a mala-
pena chi fosse Tony Blair; ora adorava i serial televisivi americani (*Friends*), come i veri inglesi. Stava
pensando, mi ha confidato, di scrivere un libro: *Imparare l'inglese con Luca*. Gli ho detto di non farlo;

poi a me toccava esordire in Premier League, e non ero pronto.

La bravura è sempre semplice

Daniel Franklin, come ho raccontato, mi ha portato all'«Economist». Anne Applebaum ci ha presentato. Considero il primo uno tra gli *editors* più bravi che io abbia incontrato; forse il più bravo in assoluto. Penso che la seconda – nel 2004 ha vinto il premio Pulitzer con *Gulag*, la storia dei campi di prigionia sovietici – sia la *columnist* più efficace in circolazione. Mi colpisce, di Daniel, la capacità rabdomantica di capire dov'è nascosto il talento delle persone; di Anne, l'abilità di intuire le svolte del mondo, i momenti in cui la storia prende un'altra direzione.

Di entrambi mi affascina la capacità di sintesi, l'abilità di arrivare rapidamente al nocciolo della questione: qualunque sia. Non so come facciano; ma lo fanno. Qualcuno, affezionato al barocchismo difensivo del giornalismo italiano, può chiamarlo semplicismo. Qualcun altro può definirla, con sufficienza, semplificazione. È soltanto semplicità: splendida e indifesa. L'unica alleata di cui dispone è la precisione. Un'idea semplice e precisa è difficile da liquidare.

Potrei raccontare molte cose, di quel periodo a Londra. E dei sette anni, tra il 1996 e il 2003, che ho passato come corrispondente dall'Italia per «The Economist». Da Milano seguivo la politica; e un collega inglese, da Roma, si occupava della parte economica e finanziaria. Può sembrare una stranezza, ma ha una sua logica. La politica italiana, come certi paesaggi tropicali, si vede bene anche da lontano; avvicinandosi, si rischia di essere morsi, punti o stritolati. Indro Montanelli aveva una visione altrettanto esotica della faccenda. Sosteneva che, per un giornalista, la capitale è una trappola: «Quelli ti mettono la mano sulla spalla, ti danno del tu. E ti fregano. Come puoi giudicare serenamente chi finge d'essere tuo amico?».

Sono stati sette anni impegnativi. Nello stesso periodo scrivevo regolarmente per il «Corriere della Sera», pubblicavo libri, conducevo programmi televisivi per la Rai (*Italians, cioè italiani* e *Luoghi comuni, un viaggio in Italia*). E viaggiavo, dopo aver creato il blog «Italians». Raccontare il nostro Paese per «The Economist» – due volte al mese, in media – mi costringeva a sintetizzare. E la sintesi è una spremuta di pensiero: un esercizio di comprensione, chiarezza e semplificazione. Se per il lettore italiano era utile, per il lettore internazionale diventava essenziale.

Come spiegare, per esempio, la vicenda di Silvio Berlusconi? Disarcionato nel 1996, tornava in sella all'inizio del secolo. Noi italiani gli stavamo affidando nuovamente le redini della nazione: incuranti dei colossali conflitti d'interessi, dei guai giudiziari, di certe frequentazioni. «The Economist» lo attaccava con durezza, me ne rendo conto. Riteneva infatti che un uomo così, sventolando le bandiere della libera iniziativa e del mercato, procurasse un danno alla causa dei moderati, impedisse la creazione di una formazione liberale in Italia e aprisse la strada ai populisti. Così è stato, purtroppo.

Prima delle elezioni del 2001 la direzione ha deciso perciò di condurre un'inchiesta approfondita sul personaggio. «The Economist» tende a non assegnare la corrispondenza da un Paese a un cittadino di quel Paese; io costituivo un'eccezione, ma era bene che non ci spingessimo oltre. Dell'inchiesta si sarebbe occupato un piccolo gruppo di giornalisti investigativi; io avrei visto il testo prima della pubblicazione, e offerto il mio parere. Era una decisione interna, non c'era motivo di comunicarla. Ma quando, il 21 aprile 2001, è uscita la storia di copertina *Why Silvio Berlusconi is unfit to lead Italy* (Perché Silvio Berlusconi è inadatto a guidare l'Italia) – non firmata, secondo tradizione – ai berlusconiani nostrani non è sembrato vero poter accusare il corrispondente dall'Italia, sui giornali e nelle televisioni del capo. Traditore della patria, era il giudizio più garbato.

Avrei dovuto smentire d'aver partecipato all'inchiesta? Ovviamente, no. Se l'avessi fatto, avrei dato l'impressione di prendere le distanze dal giornale per cui scrivevo. Avrei potuto commentarla, discutere, precisare? Inopportuno, dal momento che non avevo contribuito a realizzarla. Potevo solo tacere. Un giorno il direttore Bill Emmott, di cui poi sono diventato buon amico, mi ha scritto: «Stai dimostrando *grace under fire*, non ti scomponi mentre ti prendono di mira».

Un gran complimento, detto da un inglese.

Per non aver fatto niente, a pensarci bene.

Scrivere sotto copertura

Ho lasciato Londra e «The Economist» nell'autunno 1993. L'ultimo giorno, secondo consuetudine, il saluto al collega che rientrava in patria. Mi hanno regalato un ombrello nero di Brigg, una forma di autoironia piovosa, e una confezione di mutande da uomo, bianche e grigie, modello boxer. Non c'è stato bisogno di chiedere spiegazioni. Era un tributo al pezzo che mi aveva reso popolare in redazione: una dotta analisi dei rapporti tra la biancheria intima e la vita politica britannica. Margaret Thatcher, per esempio, la comprava soltanto da Marks & Spencer, economica e di puro cotone; Winston Churchill non la cambiava spesso; alcuni membri della Camera dei Comuni la toglievano in presenza di signorine davanti alle quali avrebbero dovuto mostrarsi più composti. Erano arrivate lettere entusiaste. La migliore da un pilota d'aereo, secondo cui, in caso di necessità, lo stesso paio di mutande può essere indossato in quattro modi diversi: tradizionale, al contrario, rovesciate nei due sensi.

Sono rientrato a Milano in mezzo a un caos spettacolare, come ho raccontato. Era l'anno più convulso di

Mani Pulite, e sembrava che l'Italia potesse scuotersi dalla corruzione (Montanelli: «È giusto illudersi alla tua età, ma non cambierà niente»). La Lega Nord di Umberto Bossi smetteva d'essere un fenomeno folkloristico, e guadagnava terreno. La Democrazia cristiana e il Partito socialista si liquefacevano. Girava voce che l'editore Silvio Berlusconi, persa la sponda politica, volesse fondare un partito; e l'indipendenza dei redattori del «Giornale» non fosse, diciamo, tra le sue priorità. Tutto sembrava cambiare velocemente. I giornalisti arrivavano da ogni parte del mondo, alcune testate straniere mi chiedevano commenti.

Per imparare a scrivere in inglese non basta conoscere la grammatica, la sintassi e il vocabolario: bisogna imparare il codice della lingua. Ci avevo provato in redazione a Londra, è vero, e qualcosa avevo appreso; ma quello dell'«Economist» è uno stile uniforme, e l'*editing* redazionale aiuta. Scrivere un articolo sull'Italia in fibrillazione era impegnativo; ma costituiva una opportunità di farsi conoscere all'estero. Lavorare in inglese – pensavo – mi avrebbe aperto un mercato più ampio (e un salvagente, se le cose in Italia si fossero messe davvero male). Ma la molla era un'altra. Mi scocciava che noi giornalisti italiani conoscessimo le opinioni dei colleghi inglesi e americani, poiché leggevamo i loro articoli; e loro ignorassero le nostre. Mi sembrava che questo squilibrio portasse a una condizione di subalternità, e non lo accettavo.

Ho continuato a studiare e a scrivere in inglese

durante il periodo trascorso a Washington. Credo di aver imparato, una volta per tutte, nei sette anni di corrispondenza per «The Economist», incoraggiato da uno strepitoso *editor* della sezione «Europa», il già citato Xan Smiley. Paziente, ironico, filosofico, informato: il capo che tutti vorrebbero avere. Quando gli ho domandato se ci fosse qualche parentela con George Smiley, il celebre personaggio di John le Carré, mi ha parlato di suo padre, una leggenda dell'*intelligence* britannica nella Seconda guerra mondiale. Avrei dovuto immaginarlo, ho pensato.

Imparare a scrivere efficacemente in inglese è come lavorare sotto copertura (un'attività per cui non ho mai sentito alcuna attrazione): bisogna pensare in un altro modo. È impegnativo e richiede tempo. Vantaggi? Soldi, pochi. Gloria, relativa. Soddisfazione, devo ammettere, notevole. Ancora oggi, quando un collega americano fa il gradasso, in qualche albergo del mondo, è una gioia potergli rispondere: «Ascolta, amico: io parlo e scrivo degli USA, ma conosco la tua lingua. Perché, prima di concionare sull'Italia, tu non impari la mia?».

Lezioni americane

Dal 1993, ogni anno, ho scritto per «The World In», una pubblicazione dell'«Economist». Negli anni Duemila per «Time» e «Newsweek», prima in occasione dell'avvento dell'euro, poi dell'uscita dei miei libri negli Stati Uniti. Per qualche tempo ho collaborato con il «Financial Times» (*The Allure of Italy's Jiminy Cricket*, 4 giugno 2012, ha fatto arrabbiare Beppe Grillo). Ma è stato nel 2013, con il «New York Times», che ho ripreso a scrivere regolarmente in inglese. Ogni mese cerco di capire come spiegare l'Italia a chi non è italiano e l'Europa a chi non è europeo. Mi aiutano gli *editors* della sezione «Op-ed» (Clay Risen prima, Marc Charney poi).

Ho cercato di trasferire qualche insegnamento ai miei allievi e ai colleghi più giovani. Non sono concetti complicati. Direi che le regole principali sono queste.

Quando ci chiedono di dimostrare la fondatezza di un'informazione, non è una prova di sfiducia: è un aiuto per evitare errori. Non basta rispondere in maniera esauriente; è buona cosa ringraziare.

Quando ci chiedono spiegazioni, non intendono farci un dispetto. Semplicemente, non hanno capito; e, se non hanno capito gli *editors* al «New York Times», forse non capiranno neppure i lettori a Siena, Santiago o Seul. «Puoi spiegare con esattezza cos'è "un contratto a tempo indeterminato"? Possiamo tradurlo *open-end contract*?» Segue discussione transatlantica.

Quando ci viene suggerito di semplificare o aggiustare un concetto, non è una bocciatura: è una collaborazione, che sottintende un complimento (questo è un buon pezzo, rendiamolo migliore).

Quando si commette un errore, bisogna ammetterlo.

Ho scritto un articolo su *Chiamami col tuo nome*, il film di Luca Guadagnino (*My Italian town is at risk of an Oscar*, 10-11 febbraio 2018). Ho raccontato che il film era stato girato a Crema, la mia città; e la mamma novantenne di un amico aveva conosciuto Timothée Chalamet, il giovane protagonista (che lei chiamava Tim). I due avevano simpatizzato e gli sceneggiatori avevano dato il suo nome – Mafalda – a un personaggio del film. Errore: il film non era stato girato *interamente* a Crema (ma anche nel circondario: Moscazzano, Pandino etc.); e quel personaggio si chiamava Mafalda nel romanzo di André Aciman, da cui il film è tratto. L'omonimia con la signora cremasca era una coincidenza. Così abbiamo corretto il pezzo online, aggiungendo una meticolosa spiegazione.

Correction: February 9, 2018
A previous version of this article misstated where Call Me by Your Name *was filmed. It was shot in and around Crema, not entirely in Crema. The article also mischaracterized the origin of the film character Mafalda's name. That is the name of a similar character in the book that inspired the film; the name is not a tribute to the elderly woman whom Timothée Chalamet befriended.*

Una precedente versione di questo articolo ha riportato erroneamente il luogo dove *Chiamami col tuo nome* è stato girato. Le riprese sono avvenute a Crema e nei dintorni di Crema, non interamente a Crema. L'articolo ha anche sbagliato l'indicazione dell'origine del nome del personaggio di Mafalda. Si tratta infatti del nome di un personaggio simile nel libro che ha ispirato il film; il nome non è un tributo all'anziana signora con cui Timothée Chalamet aveva fatto amicizia.

Quando qualcuno sbaglia, bisogna perdonarlo (ed evitargli le conseguenze dell'errore, se possibile). Per illustrare l'articolo, i colleghi di New York avevano inviato un fotografo a Crema. Ma quello si dev'essere confuso, ed era finito a Cremona. Me ne sono accorto quando il mio *editor* s'è messo a magnificare «il battistero nella piazza del Duomo». Battistero? In piazza del Duomo, a Crema, abbiamo un torrazzo, due file di archi, i portici, un palazzo comunale veneziano, una cattedrale in stile romanico e gotico lombardo (fine sec. XII – prima metà sec. XIII). Il battistero ci manca. Sul «New York Times» un articolo su Crema, scritto da un cremasco, stava per uscire con un'immagine di Cremona: in città non avrebbero gradito. Appena ho capito, mi sono alzato dalla scrivania, sono andato alla finestra, ho scattato una foto con l'iPhone e l'ho spedita subito alla *photo-editor* a New York. *My Italian town is at risk of an Oscar* è stato pubblicato, sulla carta e online, con l'illustrazione corretta. I colleghi americani hanno ringraziato, e hanno preteso di attribuire l'immagine all'autore. Piccolissimo, in basso a destra, c'è scritto: BEPPE SEVERGNINI. Se precisione dev'essere, precisione sia.

Quando si ha un dubbio, meglio esprimerlo.
È successo nel dicembre 2017. Dopo averlo scritto e inviato, ho segnalato che il mio contributo mensile era una versione adattata di un editoriale in uscita su 7, il settimanale che dirigo. Risposta, via mail: «Quanto si sovrappongono i due pezzi?». L'ho spiegato. Altra mail: «Puoi spedirci il testo italiano?». L'ho spedito. Terza mail, dopo due ore, intorno a mezzanotte italiana: «Abbiamo tenuto una breve riunione e abbiamo concluso che esiste una eccessiva sovrapposizione. Come sai, il "Times" accetta solo materiale originale. Puoi scriverne subito un altro, sullo stesso tema?». Ho risposto: certo. Non ho dormito e l'ho scritto (*Beware, Italy. Santa the Invader Is Coming*, 17 dicembre 2017). Devo dire che il secondo pezzo era migliore del primo.

Quando si lavora in condizioni difficili, non farlo pesare.
Ricordo un articolo corretto all'ultimo momento con l'iPhone, nell'inverno del 2015, prima di andare in scena a Meana Sardo, in Barbagia, con lo spettacolo teatrale *La vita è un viaggio*. Non eravamo in un vero camerino, ma in un unico stanzone collegato alla sala dell'oratorio: l'attrice (Marta Rizi), la cantante (Elisabetta Spada), il sottoscritto e una notevole quantità di alcolici (filu e ferru, mirto, limoncel-

lo). Senza bere, e senza guardare nel grande specchio l'attrice che si cambiava, ho sistemato il testo. Sono venuti bene, lo spettacolo e il pezzo: in Barbagia e a New York erano contenti, e noi con loro.

Quante altre volte, a cena o dopo cena e talvolta di notte, in questi cinque turbolenti anni italiani, sono arrivati mail, messaggi o telefonate dall'America. Un dubbio da chiarire, una frase da modificare, l'ultima versione da approvare. Lo racconto, il giorno dopo, in redazione. Spero che i colleghi capiscano perché lo faccio: se il direttore sessantenne riprende a lavorare la sera, e accetta critiche e suggerimenti, possono farlo anche loro. Quando un giornalista crede di non avere più nulla da imparare è nei guai.

Imparare vuol dire mettersi alla prova: continuamente e volentieri. Quando dal «New York Times» arriva la richiesta di un commento immediato (dopo il referendum del 4 dicembre 2016, dopo le elezioni del 4 marzo 2018) mi metto lì e scrivo, anche se quel giorno ho altri impegni o sto viaggiando. Per un giornalista, dimostrarsi pronto è una questione d'onore; saper lavorare sotto pressione, un motivo d'orgoglio. Ricordo la gioia di Indro Montanelli, prossimo ai novant'anni, quando il «Corriere» chiamava. Lasciava tutto, e scriveva un editoriale in poco più di un'ora. Un ottimo editoriale, quasi sempre. Sono la pigrizia e la presunzione, non gli anni, che ci fanno invecchiare.

Se un giornalista, per quanto esperto, smette di provare l'eccitazione e la gioia per queste sfide, è meglio che si ritiri. Se un giovane redattore percepisce certe richieste come imposizioni, ha sbagliato mestiere. Anche questo dico, ogni tanto, ai colleghi più giovani che lavorano con me. Capiscono? Quasi tutti, magari non subito. Gli altri non sarò io a bocciarli. Ci penserà il tempo, che è più severo di qualsiasi direttore.

6

Cose dell'altro mondo

Avanti e indietro

Sono arrivato per la prima volta in America nell'estate 1977, a vent'anni, con cinque amici della stessa età: tre di Crema e due di Napoli. Jimmy Carter si era insediato alla Casa Bianca sei mesi prima. Abbiamo girato ventiquattr'ore per Manhattan col naso all'insù, poi a Bethlehem, in Pennsylvania, abbiamo affittato una mastodontica *motorhome* e per sette settimane abbiamo guidato come ossessi. Prima verso ovest, poi verso sud, poi verso est.

Obbedivamo all'ordine imperioso dei Fleetwood Mac, che quell'estate monopolizzavano l'autoradio: *Don't Stop*, non fermatevi! E noi non ci fermavamo: perché avremmo dovuto? Volevamo vedere più America possibile, per raccontarla a casa. Compravamo le magliette nei *bookstores* delle università per certificare il nostro passaggio; e conservavamo tazze e posate in plastica di McDonald's come reliquie (racconto questo viaggio in *Italiani si diventa*, e il capitolo s'intitola, non a caso, «Spazzatura per ricordo»).

Siamo andati fino al parco di Yellowstone in cerca dell'orso Yoghi (assente); poi a San Francisco sulla Interstate 80; quindi giù lungo la costa della California fino a Santa Barbara, dove siamo rimasti folgorati dai frisbee, dagli skateboard e dalle ragazze sulla spiaggia (non necessariamente in quest'ordine). Al ritorno siamo passati per Las Vegas (Nevada), Monument Valley (Arizona), Albuquerque (New Mexico), Amarillo (Texas) e Nashville (Tennessee). Il giorno in cui è morto Elvis Presley – 16 agosto 1977 – eravamo da quelle parti. Ma il nostro inglese era approssimativo, e abbiamo mancato la notizia.

Sono tornato negli Stati Uniti molte volte: credo di aver toccato quarantasette Stati su cinquanta (mi mancano il South Dakota, l'Alaska e le Hawaii). Sono tornato come viaggiatore e come scrittore, come giornalista e come turista, come studente e come insegnante, come spettatore e come organizzatore (le pizze Italians, tra il 1999 e il 2010!). Come testimone dei fatti e come testimone di nozze. Come inviato e come invitato, come residente e come corrispondente. Ci sono stato come fratello, come marito, come papà, come figlio e come genero.

Nel 1987 – avevo trent'anni, mi ero appena sposato, Ortensia e io vivevamo a Londra – i miei genitori ci hanno ordinato amorevolmente di portarli in giro per l'Arizona in camper; sette anni dopo – nel 1994, abitavamo a Washington D.C. – il papà e la mamma di mia moglie hanno manifestato lo stesso desiderio. Abbiamo rischiato d'essere caricati da un toro, dalle parti di Kayenta, nelle terre della nazione Navajo. Mio suocero l'ha visto sfilare a pochi centimetri dall'auto e mi ha domandato: «Ma tu guidi sempre così?». Si chiamava Fortunato: quella volta lo è stato, e noi con lui.

In America, una domenica di dicembre 1987, ho acquistato il mio primo computer. Anzi, ho comprato una borsa cubica che mi piaceva, in un negozio di ebrei ortodossi nel Lower East Side di Manhattan; poi ho scelto un modello che ci entrasse dentro (MacIntosh SE, ce l'ho ancora). A San Diego, nel 1992, ho acquistato il primo portatile (Apple PowerBook 140), con quello ho sperimentato internet, due anni dopo, a Washington D.C. Rete in bianco e nero, ma è stato comunque un inizio.

In America ho seguito quattro elezioni presidenziali, dal 2000 al 2012, e in tanti viaggi ho incontrato migliaia di americani, celebri e sconosciuti. Ricordo Jimmy Carter nel 1992, sotto un cartello con una nocciolina gigante, a Plains, in Georgia: mi sembrava troppo prevedibile, pensavo fosse uno scherzo. Ricordo Madonna, nel 1998 a Los Angeles, cui non piacevo; e Bruce Springsteen, nel 2002 a Buffalo. Durante le prove ha chiesto alla E Street Band di attaccare *Lost in the Flood*. «Piace al nostro ospite italiano!» ha detto il Boss nel microfono. Forse gli stavo più simpatico.

In America sono andato per conferenze e convegni, premi e matrimoni, riposanti viaggi ferroviari e avventurose cene di gala. In un'occasione, nel 2006, mi sono trovato a tavola con Anne Hathaway e l'allora fidanzato Raffaello Follieri, poi condannato per una serie di truffe che realizzava spacciando contatti vaticani che non aveva. In treno ho viaggiato da Portland (Maine) a Portland (Oregon): quindici Stati in diciotto giorni, nel 2012. Nel 2013 sono andato – treno Amtrak, autobus Greyhound, auto Toyota, ancora Amtrak – da Washington D.C. allo Stato di Washington, accompagnato (portato?) da mio figlio Antonio, che allora aveva vent'anni.

In America, come giornalista, ho esordito nel dicembre 1987, in occasione del vertice tra Ronald Reagan e Michail Gorbačëv (ero riuscito a convincere la British Airways a farmi volare da Londra a Washington D.C. sul supersonico Concorde con un biglietto economy: sono cose che non si dimenticano). Montanelli mi aveva assegnato l'incarico nonostante le rimostranze di Alberto Pasolini Zanelli, il nostro corrispondente, che non mi voleva tra i piedi. Quella volta ha ceduto; ma poi, per anni, s'è opposto al mio trasferimento negli USA, che molti prevedevano – dopo la corrispondenza da Londra – e il direttore mi aveva promesso.

Alberto era colto, brillante ed egocentrico. Viaggiava molto, portandosi dietro montagne di ritagli (niente Google, all'epoca); viaggiava da signore, preferendo i migliori alberghi agli incontri per strada (era l'antitesi di Egisto Corradi); e scriveva con enorme facilità. Le sue frasi giravano sul velluto. Questa caratteristica del bolognese Pasolini Zanelli colpiva il toscano Montanelli, convinto che la bella scrittura fosse un appannaggio regionale. APZ – la sua sigla, ubiqua sul «Giornale» – era un precursore della destra ideologica che oggi va di moda (senza le sciatterie di Trump, ma con le durezze di alcuni consiglieri). La sua linea politica: i repubblicani avevano ragione, i democratici avevano torto; poi, si poteva discutere.

Abitava a Spring Valley, un sobborgo frondoso ed elegante di Washington. Aveva trasformato la sua grande casa in un tempio, dove teneva, in lunghe file di raccoglitori rilegati, gli articoli che instancabilmente pubblicava. Quando sono andato a trovarlo – era il 1994, ero passato alla «Voce», non rappresentavo più una minaccia alla sua routine americana – è stato cordiale. Così gliel'ho chiesto: «Scusa, Alberto, ma perché non volevi che venissi in America? Ti avrei fatto volentieri da secondo». Lui mi ha fissato, con i suoi occhi acuti e convessi, poi ha detto: «Come secondo, ne volevo uno tonto. Mica uno come te». L'ho ringraziato. Non mi ripagava dell'attesa durata sei anni. Ma come negarlo: era un complimento.

A bordo di un libro

Tra il 2002 e il 2011 sono tornato spesso negli USA per presentare i miei libri americani. Tre, per la precisione: *Ciao, America!* uscito nel 2002 per Broadway Books/Doubleday. *La Bella Figura. A Field Guide to the Italian Mind*, pubblicato nel 2006 dallo stesso editore. E *Mamma Mia! Berlusconi's Italy Explained for Posterity and Friends Abroad*, uscito nel 2011 con Rizzoli International. Forse è stato il momento professionalmente più entusiasmante della mia esperienza americana; di sicuro si è rivelata la fatica più grossa.

Tutto è iniziato nel 2001, quando ho fatto una cosa che nessun manuale dell'editoria prevede, ma ha funzionato. Ho convinto il mio editore italiano a tradurre e pubblicare, in Italia, la versione in lingua inglese di *Un italiano in America*. Ci ho messo qualche anno, ma alla fine ce l'ho fatta. La traduzione – splendida – era di Giles Watson, talentuoso scozzese del Friuli. *An Italian in America* è uscito nel 2001, e tre Istituti Italiani di Cultura negli USA mi hanno offerto di presentarlo.

Sono partito con Ortensia e Antonio, in giugno; volo transatlantico a nostre spese, ovviamente. Ho iniziato a Chicago, dove i frequentatori del forum «Italians» hanno trascinato amici e conoscenti americani, e la direttrice Lidia Ramogida ha mobilitato le sue conoscenze; poi ho presentato il libro a New York, poche settimane prima dell'attacco alle Torri Gemelle; infine a Washington D.C., dove il libro è ambientato, e la direttrice Annamaria Lelli ha avuto l'intuizione di invitare una reporter del «Washington Post», Daniela Deane. Cosa le abbia raccontato, non lo so, ma la collega sembrava incuriosita da quello strano italiano che importava i libri già tradotti e stampati. Daniela – sempre sia lodata – è rimasta colpita dal fatto che molti lettori italiani andassero a Georgetown per fotografare la casa descritta nel libro, al numero 1513 della 34ª Strada, e chiedessero di vedere il putto di cemento nel giardino sul retro (mettendo a dura prova la pazienza dei nuovi inquilini). Il 26 luglio 2001, nelle pagine nazionali del «Washington Post», è uscita un'intera pagina, documentata ed entusiasta.

LA DOLCE GEORGETOWN

Un bestseller italiano provoca un boom turistico intorno a un'insospettabile casa della 34ª Strada

Il quotidiano sosteneva che *An Italian in America* stesse a Washington D.C. come *Sotto il sole della Toscana*, il bestseller di Frances Mayes, stava alla Toscana. Daniela Deane spiegava che «il libro era diviso in capitoli relativi ai mesi dell'anno trascorso in America» ed «era stato scritto a un tavolo che guardava il giardino sul retro». Aggiungeva che *Un italiano in America* «aveva venduto oltre 300.000 copie in Italia – un numero enorme per un'opera non di narrativa, ma di viaggio – dopo molte ristampe sia in edizione rilegata sia in economica». Citava anche l'attacco del libro:

> La casa è di legno bianco, e guarda verso occidente. Ha una porta verniciata di nero, un ventaglio scolpito sopra la porta e tre finestre con le imposte inchiodate contro la facciata, nel caso qualche europeo pudico pensasse, la sera, di chiuderle.

Nel giro di pochi giorni, senza avere un agente letterario negli USA, ho ricevuto offerte da tre editori americani. Ho scelto Broadways Books / Doubleday, dove ho trovato un magnifico *editor* (Charlie Conrad). Poi è arrivato anche l'agente, Georges Borchardt (ancora oggi lavoriamo insieme). *Ciao, America!* – la traduzione di *Un italiano in America* – è uscito nell'estate 2002 ed è diventato subito un bestseller, anzi un *coast-to-coast bestseller.* Che vuol dire: è finito in classifica sulle due coste (sul «Washington Post», sul «San Francisco Chronicle»). Nel mezzo dell'America, diciamo, non aveva sollevato lo stesso entusiasmo.

Sarà per il prossimo libro! ho detto, tutto contento, al mio editore.

Be', è successo. *La Bella Figura* – la traduzione di *La testa degli italiani*, sempre a opera di Giles Watson – nel 2006 è diventato un New York Times bestseller. Nella saggistica era accaduto a *The Italians* di Luigi Barzini Jr., quarant'anni prima. Quando, alla fine del *booktour*, sono andato a salutare l'editore – allora stava in Columbus Circle, a Manhattan – ho trovato i palloncini, le bibite e molte pacche sulle spalle. Qualcuno, pensate, aveva addirittura imparato a scrivere il mio cognome.

Cappuccini dopo cena

Gli scrittori hanno spesso un'idea romantica del *booktour* attraverso l'America. Gli editori americani ne hanno un'idea molto concreta. Mandare in giro la gente costa; non è una vacanza. Gli autori, quindi, devono mettersi il cuore in pace: verranno spremuti come limoni e saranno sottoposti a prove massacranti.

Quando nel 2006 ho visto il programma del *booktour* di *La Bella Figura* sono rimasto allibito. C'erano impegni dal mattino alla sera: nelle università, in televisione e nelle radio locali, dove il conduttore spesso non aveva la minima idea di chi si trovasse davanti, e leggeva le note biografiche sul risvolto di copertina durante la diretta, con una sfacciataggine ammirevole. Ogni giorno erano previsti incontri nelle librerie. Il mio dovere d'autore era farmi trovare pronto e sorridente. E vendere molte copie, già che c'ero.

Ricordo una presentazione a Seattle il lunedì sera (Elliott Bay Book Company), un'altra a Washington D.C. il martedì pomeriggio (Politics & Prose); in mezzo cinque ore di volo e quattro di fuso orario. Sono arrivato nella libreria di Connecticut Avenue direttamente dall'aeroporto, trascinando la valigia, e mi sono lanciato verso il pubblico già seduto. Mi sentivo un supereroe, ma ho capito di essere soltanto uno dei tanti autori di passaggio, per quanto benvenuto. La cosa non mi dispiaceva. Ero una rotellina in un ingranaggio. Ma era un ingranaggio americano.

Presentare *Ciao, America!* era stato relativamente facile. Si trattava di mettere uno specchio davanti ai lettori americani; la stessa cosa avevo fatto, anni prima, con i lettori inglesi. Nel 2002 la nazione sembrava disposta ad accettare i giudizi amichevoli di uno straniero. Poi la sciagurata invasione dell'Iraq ha cambiato tutto: i dubbi europei erano mal tollerati. Ricordo – sempre a Washington D.C. – un invito all'American Enterprise Institute, uno dei bastioni del conservatorismo repubblicano. Oriana Fallaci, poche settimane prima, s'era schierata in favore dell'intervento e s'era guadagnata un'ovazione; io avevo espresso la mia contrarietà e avevo ottenuto solo un tiepido applauso di circostanza.

Ma questo nuovo libro non parlava di loro; parlava di noi. Presentare *La Bella Figura. A Field Guide to the Italian Mind* significava spiegare come sono fatti gli italiani. Per gli americani, rappresentiamo un mistero affascinante. L'Italia possiede infatti caratteristiche clamorose, che agiscono come un faro puntato negli occhi di chi osserva. I lettori, negli USA, sembravano interessati solo alla Toscana e alla mafia. La prima veniva usata per provare che l'Italia era un paradiso (quando mai: troppo disordinato), la seconda per dimostrare che si trattava di un inferno (falso: i poveri diavoli hanno stile e buon cuore). Quando ho spiegato all'editore che *La Bella Figura* non si sarebbe occupata né dei parenti dei *Sopranos*, né dei tramonti sulle colline senesi, è sbiancato: «Sei sicuro?». Sicurissimo, ho risposto.

Ricordo il passaggio al *Today Show*, cinque minuti di diretta televisiva nazionale NBC, dal Rockefeller Center di New York. Un programma che arriva dovunque: gli americani lo guardano mentre fanno colazione, in attesa di andare al lavoro o di portare i figli a scuola. L'intervistatrice, Ann Curry, ha mostrato la copia di *La Bella Figura* e mi ha chiesto di commentare alcuni luoghi comuni sull'Italia.

Il primo: «Il pasto serale, per le famiglie italiane, è un rito».

Le ho risposto: certo, e per fortuna. A tavola i ragazzini italiani imparano a mangiare, a bere, a discutere e a difendere il proprio punto di vista. Stiamo allevando una generazione di avvocati, probabilmente. Ma preferiamo così piuttosto che aprire a turno il frigorifero, come fate voi, e poi dire: «Okay, abbiamo cenato».

Il secondo: «La piazza è il vostro shopping mall».

Non solo: è la nostra passerella e il nostro confessionale, il nostro centro sociale e il nostro salotto, il nostro ritrovo e il nostro rifugio, il nostro senato e il nostro teatro. Voi americani ci battete in una cosa sola: il parcheggio.

Terzo luogo comune: «In Italia, nessuno si ferma col semaforo rosso».

Non è vero, ho spiegato. Diciamo che la luce del semaforo è l'inizio di una discussione (anche interiore, se siamo in macchina da soli). Che tipo di rosso sarà? Un rosso per lasciar passare i pedoni, che non si vedono? Un rosso in favore di una strada laterale, ma non viene nessuno? Oppure si tratta di un vero rosso, ed è bene fermarsi? In sostanza, noi italiani vogliamo decidere se la regola generale si applica al nostro caso particolare: non solo per strada. Diventiamo i pubblici ministeri, gli avvocati, i testimoni e i giudici di noi stessi. Al momento della decisione, ovviamente, all'imputato vengono concesse molte attenuanti.

Quarto luogo comune: «Voi italiani amate le emergenze».

Forse non le amiamo, ma di sicuro diamo il meglio nelle situazioni impreviste ed eccezionali. È con l'ordinaria amministrazione che abbiamo qualche problema. Voi americani, viceversa.

Affermazione finale (la tv va veloce): «In Italia il cappuccino non si beve dopo cena».

A quel punto, ho guardato Ann Curry con severità. Mi sono sistemato sullo sgabello e ho arringato la piccola folla del Rockefeller Center: dopo i pasti si beve un espresso! Il cappuccino dopo cena è immorale e illegale. I ristoratori italiani devono rieducare la clientela americana. Volete un cappuccino dopo gli spaghetti alle vongole e la spigola al cartoccio? Niente da fare.

Secondo voi cosa ha colpito i telespettatori? Cos'ha fatto vendere il libro? La legge, la morale o il cappuccino?

Bravi: risposta esatta.

Gli americani spiegati in fabbrica

«Sì, lei, giù in fondo. Ricorda cos'ha detto ieri pomeriggio alla collega di reparto? Le battute, le allusioni, i complimenti? Sì, lo so: era proprio carina. Ed è vero: non s'è offesa, anzi, rideva e rispondeva per le rime. Ma non faccia una cosa del genere quando arrivano gli americani. La ragazza di Melfi, magari, ride. La ragazza di Detroit denuncia.»

Prima di spiegare come mi sono trovato a parlare di sesso dentro una fabbrica di automobili, davanti a ottocento operai, è necessaria una breve introduzione.

Fiat-Chrysler (FCA) possiede un grande impianto a Melfi, antica cittadina della Basilicata, vicino al confine con la Puglia: due ore d'auto da Bari (a oriente), altrettante da Napoli (a occidente). Per anni ha prodotto solo la Punto, destinata al mercato italiano. Nel 2013, sorprendendo tutti, Sergio Marchionne ha deciso di portare lì la produzione della nuova Jeep Renegade. Un investimento da 1,3 miliardi di euro, sicurezza economica per seimila lavoratori. Che però si sono chiesti: arrivano gli americani, come dobbiamo comportarci?

Un alto dirigente mi ha cercato e mi ha detto: «Lei ha scritto libri sugli USA, ci ha vissuto, ne parla in televisione. Venga e spieghi, per favore: come sono fatti questi americani?».

Così ho viaggiato per ottocento chilometri, sono arrivato a Melfi, ho visitato l'impianto, ho conversato con molte persone; e il giorno dopo mi sono ritrovato su un podio improvvisato, al centro di una fabbrica d'automobili, con una distesa di operai in piedi davanti a me (niente sedie, metterle e toglierle avrebbe preso troppo tempo). Benché gli americani li chiamino *blue collar workers* (colletti blu), vestivano elegantemente in bianco. E mi osservavano, curiosi.

«Si lavora bene con gli americani, ma bisogna conoscerli» ho esordito. «Per capire come sono fatti, e come comportarsi con loro, propongo di concentrarci su cinque parole. Iniziano tutte con la C. Può sembrare troppo semplice, ma vi assicuro: partendo da quelle parole, gli Stati Uniti sono diventati il Paese più potente del mondo.»

«Però la Fiat ha dovuto intervenire per salvare Chrysler!» ha gridato qualcuno dal fondo.

La prima parola è CONTROLLO.

Una delle frasi più comuni, in America, è *to be in control*. Tenere la situazione sotto controllo. Quale situazione? Qualsiasi situazione. Dalla salute a una guerra ai risultati scolastici dei figli. I numeri sono il tranquillante americano. In Italia diciamo «piove», «non piove», «forse pioverà»; in America vogliono sapere esattamente quanto ha piovuto (1,6 pollici in tre ore, accidenti!). Negli USA forniscono indicazioni stradali utilizzando i numeri delle strade e i punti cardinali (verso ovest sulla I-20, poi a nord sulla 277). In Italia diciamo «vai di qui, gira di là».

Ecco perché negli USA amano le domande: sono la premessa della conoscenza, l'antidoto al fatalismo, un tentativo di esercitare un primo controllo sul mondo intorno a sé. *Who?* (Chi?) *What?* (Che cosa?) *When?* (Quando?) *Where?* (Dove?) e *Why?* (Perché?) non sono soltanto le regole-base del giornalismo anglosassone: sono i codici di avviamento mentale nazionale. So che farà sorridere qualcuno, questa affermazione. Noi italiani ci riteniamo smaliziati, ma talvolta finiamo per essere inconcludenti; dietro l'apparente ingenuità americana c'è, quasi sempre, un tentativo di semplificare e migliorare le cose.

La seconda parola è CONCORRENZA.

Competition vuol dire concorrenza e, ovviamente, competizione. Gli americani la amano, noi la temiamo. Per vincere, in ogni campo, sono pronti a perdere. In Italia – in molta parte d'Europa, a dire il vero – ci dispiace perdere più di quanto ci piaccia vincere. Quindi, spesso, ci accontentiamo di un pareggio. La concorrenza aiuta a spiegare l'eccellenza e gli eccessi degli Stati Uniti: dall'abbondanza dei college universitari al numero delle compagnie aeree. Voi, qui, costruite automobili. I colleghi americani in arrivo sono convinti che la Jeep Renegade sarà migliore dei modelli concorrenti, o almeno altrettanto buona. Se non lo fosse, direbbero: «È giusto che questa macchina non venda».

La concorrenza negli USA non è solo precetto economico: è un imperativo morale. Nella mitologia nazionale l'uomo, la donna o la famiglia che si sono dimostrati migliori meritano di più. E migliori è un comparativo: il termine di paragone sono gli altri. Quello che ha aperto la strada ai populisti – ce ne sono anche negli USA, e aumentano – è la sensazione che la fatica per diventare migliori sia diventata inutile. Non garantisca più un buon reddito, una bella casa, un'adeguata posizione sociale.

La terza parola è COREOGRAFIA.

La coreografia italiana è una questione privata: preferiamo le riunioni di famiglia alle parate militari. Diffidiamo delle ricorrenze e ci annoiamo durante le commemorazioni. La nostra passione per la coreografia individuale arriva a questo: il bel gesto, di cui siamo campioni indiscussi, mescola generosità e spettacolo. Mentre ci comportiamo bene, siamo in grado di vederci e ammirarci. È una forma di auto-esibizionismo sofisticato, che non ha bisogno di pubblico: bastiamo noi.

Sotto sotto, in Italia, crediamo che le cose importanti debbano essere un po' noiose (cerimonie, eventi, dibattiti). Gli americani sono convinti che ogni cosa importante debba essere spettacolare. Da una laurea (*graduation*) a un nuovo presidente (*inauguration*), da un evento sportivo a un intervento militare: la scenografia viene considerata una prova di serietà e di qualità. Gli americani – ricordatelo – hanno bisogno di sentirsi parte di qualcosa di grande e organizzato. È una forma di rassicurazione. Ecco perché si troveranno bene, in questa grande fabbrica che si è data grandi obiettivi. Produrre la Jeep a Melfi è come produrre l'olio d'oliva a Detroit: ci vuole coraggio, e voi lo state dimostrando.

La quarta parola, guarda caso, è proprio CORAGGIO.

È un coraggio particolare, quello degli americani: calcolato e incosciente insieme. Deriva dal sentimento del futuro. Lo considerano eccitante; noi italiani, sempre più spesso, lo troviamo preoccupante. Siamo un popolo resiliente e tenace, ma stiamo perdendo l'ottimismo.

I più grandi masticatori di futuro vivono negli USA. Non dipende solo dall'economia, come amano raccontarsi i politici. Vecchi residenti o nuovi arrivati, fa lo stesso: gli americani sono convinti di poter condizionare il destino. Gli Stati Uniti sono una nazione fondata sul trasloco, nuove residenze e nuove conoscenze. Ogni presidenza è una catarsi; ogni elezione un inizio; ogni lavoro una sfida. Il fallimento, che in Italia è un marchio d'infamia, negli USA vuol dire: «Almeno ci ho provato».

La quinta parola è COOL.

L'aggettivo non è facile da tradurre. Diciamo che diventiamo *cool* quando sembriamo calmi, consapevoli, magari ironici. Gli americani che arrivano in Italia – turisti, uomini d'affari o ingegneri: fa lo stesso – ci ritengono intelligenti e gradevoli, ma piuttosto emotivi e leggermente inaffidabili. Quindi, poco *cool*. Non solo: Melfi sta nell'Italia del Sud, che per gli stranieri rappresenta l'Italia alla seconda potenza, nel bene e nel male. Uno stereotipo? Forse, ma non importa. Tutte le nazioni ne soffrono e non serve lamentarsi. L'unico modo di disinnescarli è dimostrare che sono superati.

Come? Semplice.

Quando gli americani arriveranno, sorprendeteli. Si aspettano di trovarvi emotivi? Siate calmi e razionali. Vi credono inaffidabili? Siate precisi, puntuali e non lamentatevi. Suggerite soluzioni, non ponete problemi. Siate rigorosi con i soldi, i permessi e gli orari.

Fate questo per qualche mese, poi inserite il turbo italiano.

Presentate agli americani i vostri amici e i vostri famigliari. Fate capire agli ospiti che la famiglia italiana è la forma di welfare più solida e duratura, alla faccia di ogni governo. Portateli al mare, spiegate l'organizzatissima confusione di una spiaggia. Introduceteli al calcio e al vino. Invitateli a cena: le vostre orecchiette li travolgeranno.

Ma prima siate affidabili; poi simpatici. Non viceversa.

Non è un'impresa impossibile. È difficile, addirittura impossibile, sembrare intelligenti senza esserlo; mentre è facile arrivare in orario e rispettare le consegne. Sorprendete gli americani. Potete farlo: siete italiani. Nessuno è più bravo di noi a trasformare una crisi in una festa. L'industria automobilistica, sono sicuro, lo confermerà.

Mi hanno ascoltato attenti e, alla fine, mi hanno applaudito.

Ripensandoci, è andata proprio bene. Se tornassi oggi, dovrei parlare di Donald Trump.

7
Libri e pitoni

Un libro solo

Credo di saper scrivere un unico libro. Non è l'ammissione di una vocazione alla monotonia; è una constatazione. Ogni autore torna e ritorna sullo stesso tema, spinto da un'urgenza di cui spesso non è consapevole. Lo declina in molti modi, per tutta la vita. Pensate a uno scrittore che amate: vi accorgerete che le cose stanno così. Tre titoli o venti titoli, capolavori o decorosi tentativi: il comun denominatore, quasi sempre, esiste.

Qual è il mio unico libro? Un'autobiografia a puntate. Certo, destinata a chi legge. Cerco di trovare, nel racconto della mia vita, qualcosa che possa essere utile ad altri: quel che ho capito e perché ho sbagliato, cosa ho visto e cosa ho evitato, chi ho conosciuto e cosa mi ha insegnato. Non scrivo per un editore, non scrivo per recensori e colleghi, non scrivo neppure per me stesso. Scrivo per una persona che decide tutto, in assoluta libertà. Ha molti volti e molti umori; è di età diverse e di qualunque sesso; vive dovunque e non sta da nessuna parte. Lo scrittore che non ne prova soggezione è un presuntuoso.

Quando lavoro a un libro – anche in questo momento – tengo in bella vista un piccolo cartello con queste parole: *De captu lectoris habent sua fata libelli*, il destino dei libri sta nell'accoglienza dei lettori. È un motto di Terenziano Mauro, un grammatico latino del III secolo, forse proveniente dalla provincia della Mauretania: quelle sette parole costituiscono la sua opera più conosciuta. Ha intuito una cosa fondamentale, Terenziano: tutto dipende dal lettore, dalla sua disposizione d'animo, dalle sue necessità.

La vita che vedo scorrere intorno a me è l'unica cosa che sono capace di raccontare. Spero contenga qualcosa di interessante per tutti. Perché questa – ormai l'avete capito – è un'autobiografia didattica.

Dagli esordi a Londra è nato *Inglesi* (1990). Dopo due anni è arrivato *L'inglese. Lezioni semiserie* (1992): avevo imparato la lingua, e subito – i giornalisti sanno essere sfacciati – ho provato a insegnarla. Dal periodo come inviato speciale – Europa comunista, URSS, Cina, Medio Oriente, Sudafrica – è arrivato *Italiani con valigia* (1993). Dal trasloco a Washington D.C., *Un italiano in America* (1995). *Italiani si diventa* (1998) l'ho scritto dopo la scomparsa di mia madre, Carla. Ho iniziato a pensare al libro che state leggendo dopo che se n'è andato mio padre Angelo, nel 2016. I miei genitori mi hanno dato un'infanzia splendida, un'adolescenza serena e la possibilità di scegliere la mia strada. Un figlio che scrive ringrazia con un libro.

Interismi, la tetralogia nerazzurra (dal 2002 al 2010), è stato il mio modo di raccontare la passione per il calcio, un grande romanzo popolare; e provare a ragionare sulle lezioni della sconfitta, l'orgoglio della resilienza e le tentazioni del trionfo (il Triplete, tengo a ricordare, l'abbiamo vinto solo noi). Un periodo più stanziale ha prodotto il *Manuale dell'uomo domestico* (2002). La collaborazione con la «Gazzetta dello Sport» e «Sportweek», il *Manuale dell'imperfetto sportivo* (2003). *La testa degli italiani* (2005) è stato un modo di raccontare agli stranieri – il libro è tradotto in molte lingue – il Paese che amo (mi dispiace, Silvio B.: non le cedo l'esclusiva su un sentimento).

L'italiano. Lezioni semiserie (2007) è nato studiando grammatica e sintassi con mio figlio Antonio, ragazzo sveglio e ginnasiale svogliato. *Italians* (2008) racconta il giro del mondo – in ottanta pizze, poi diventate centoquattro – tra i connazionali da esportazione (i viaggi in treno in quattro continenti sono raccolti in *Signori, si cambia*, 2015). *La pancia degli italiani* (2010) cerca di decifrare la lunga stagione politica del succitato Berlusconi, l'assolutore in capo della nazione. *Italiani di domani* (2012) è la conseguenza di molti incontri nelle scuole, alcuni discorsi ai laureati, qualche corso all'università. *La vita è un viaggio* (2014) è il tentativo di mettere ordine in tutte queste cose.

Chiedo scusa per questo lungo riepilogo. Avevo bisogno di ragionare su quanto ho scritto in tanti anni, e perché. Per chi l'ho scritto, invece, lo so. L'ho scritto per voi. Poi sono venuto a raccontarvelo.

Contorsionismi

Della Letteratura. Delle Letterature. Del Libro. Dei Libri. Del Libro Usato. Del Libro Internazionale. Del Libro per Ragazzi. Del Libro all'Orizzonte. Dell'Autore. Degli Autori. Del Libro con gli Autori. Dell'Inedito. Della Piccola e Media Editoria. Dell'Editoria Indipendente. Della Microeditoria. Del Giornalismo. Della Poesia. Della Marina. Del Noir. Del Giallo. Del Fumetto e dell'Animazione. Della Penna d'Oca (e del Byte). Del Libro dei Bambini (o Children che dir si voglia). Del Racconto. Delle Parole dello Schermo. Del Viaggio. Del Pensiero. Della Filosofia. Della Comunicazione. Di Cinema e Letteratura. Dell'Innovazione. Del Mondo Antico. Della Scienza. Della Mente. Della Dignità Umana. Internazionale. Letteralmente. E poi: In Riva al Mare, A Piedi Nudi nel Parco, Sotto le Stelle, Sul Fiume, Sulle Bocche, Tra le Isole che Parlano.

Questa piccola selezione dimostra una cosa: in Italia produciamo più festival che scandali, ed è tutto dire. Alcuni sono diventati tra i migliori d'Europa (Mantova per la letteratura, Perugia e Ferrara per il giornalismo). Molti sono buoni. Tutti sono volonterosi e, quasi sempre, affollati. Le rivalità comunali si sono, infatti, festivalizzate. Se una città ha un festival, la città vicina non può esserne da meno.

Cosa spinge il pubblico verso questi incontri, in particolare gli incontri letterari? Il piacere di stare insieme, la confusione gioiosa, la gratuità e un po' di *serendipity*: la voglia di trovare ciò che non si sta cercando (un'idea, un'emozione, un fidanzato). Nelle sagre – caposaldo della vita sociale italiana – si mangia, si beve, si balla. Nei festival si può ascoltare e guardare. Per chi ha problemi di colesterolo e coordinazione, un dignitoso compromesso.

Parlo in pubblico dal 1984 – esordio a Cagliari – e ho cominciato a presentare i miei libri nel 1990. Prima uscita con *Inglesi*, al British Council di Milano. In quasi trent'anni, prima di questo, sedici libri: ho visto cose che non potete immaginare. Uffici del turismo tremendamente efficienti (o semplicemente tremendi), assessori affettuosamente spietati, presentatori impresentabili, lettrici seducenti e lettori maniacali, platee che resistono sotto la pioggia e altre che ti mollano per il bingo. Anche per questo mi sono divertito moltissimo.

Non c'è luogo che solerti organizzatori non abbiano sfruttato come sfondo, mescolando sadismo e fantasia. Molti scrittori conoscono l'Italia solo grazie ai posti strampalati dove si sono ritrovati una sera d'estate, di fianco al presidente dell'azienda di promozione turistica, ansioso di pronunciare il suo discorso. Gli autori sono consapevoli di questo. Non crediate che giriamo solo per vendere qualche copia in più, o per soldi (tra poco torniamo sull'argomento). Giriamo per dovere, vanità, incoscienza, incontinenza e curiosità. Ogni scrittore, sotto sotto, è convinto che i lettori siano personaggi creati dalla propria fantasia; e quando se li vede di fronte in carne, ossa e infradito, è piacevolmente stupito.

Sono stato ospite in spiagge, piazze, aeroporti, giardini pubblici, rifugi alpini, porti turistici, palestre, centri polisportivi, stazioni, caffè, librerie, ville storiche, aule magne, sale consiliari, oratori, cinema, supermercati, parcheggi, zone pedonali, municipi, siti archeologici, corridoi, tensostrutture, pinete, complessi monumentali, cortili, retrobottega, palazzi ducali, scuole, yacht club, alberghi, biblioteche, ristoranti, chiese, collegi, cappelle, cantine e traghetti. Ogni volta ho pensato d'essere fortunato a incontrare quella gente, venuta lì perché non aveva di meglio da fare, o addirittura per me. Ho visto tante piazze piene, ma anche molte sedie vuote, soprattutto all'inizio: e ho imparato parecchio. Se uno riesce a far contente dieci persone, sarà più bravo quando ne avrà davanti mille. Il mio fallimento preferito? Sul lungolago di Gardone, nel 1992, in una serata di pioggia: i cinque presenti erano parenti dell'organizzatore, convocati d'urgenza.

Credetemi. Quando un autore mette la dedica sui libri, al termine di una presentazione, firma il suo armistizio col mondo. Dura poco. Di solito fino al blitz della signora che vuole fare il selfie, ma non sa usare il telefono.

Spero di avervi convinto: le presentazioni sono un genere letterario a sé. Quello che accade va dall'insolito al patetico, passando per il banale e il geniale. Se conosco l'Italia e gli italiani è anche grazie a quest'attività: in quasi trent'anni ho visto di tutto. Non avrei mai pensato, però, di competere con una contorsionista.

È capitato su un traghetto tra Palermo e Genova, venti ore di navigazione verticale che regala molte soddisfazioni: per esempio, guardare a oriente e pensare che oltre l'orizzonte corre l'autostrada del Sole, e noi non siamo là. Il mare subisce però le tentazioni della modernità: le navi da crociera ormai sembrano casinò di Las Vegas, e i traghetti privati vogliono somigliare alle navi da crociera. Per questo, forse, provano a intrattenere i passeggeri, invece di lasciarli tranquilli.

Fin qui, nulla di grave. I guai cominciano quando pensano di farlo coinvolgendo gli scrittori. Siamo brava gente, con alcune caratteristiche: una certa considerazione di sé; una diffusa propensione alla prosopopea; l'abitudine di parlare a un pubblico ristretto e educato, che ha scelto di ascoltarci. Su una nave, invece, il pubblico è prigioniero (*captive audience*, avrebbero detto sul *Titanic*). Lo scrittore di turno è un'imposizione. L'alternativa, per i passeggeri, è uscire e fare amicizia coi gabbiani: ma occorre lasciare il salone delle feste.

Consapevole di questo, nelle rare occasioni in cui mi sono lasciato tentare, ho cercato d'esser breve e, se possibile, divertente. In questo modo l'ho spuntata con polemisti in vacanza, bambini irrequieti e nonne col mal di mare. Con la contorsionista e il suo pitone, però, non c'è stato niente da fare.

È andata così. Alle ore 20 in punto il commissario di bordo, con un magnifico accento genovese e una faccia piacevolmente sadica, mi convoca e dice: «Sa, dottore, questo è un pubblico particolare, in maggioranza si tratta di famiglie di emigrati e di autotrasportatori; eviti ragionamenti complicati o costruzioni difficili, perché non sono graditi». Sorrido, pensando a un paio di colleghi: li immagino barricati in sala macchine per sfuggire alla folla inferocita dall'eccesso di secondarie implicite. Rispondo, incauto: non si preoccupi, so come fare.

Ciò che ignoro è questo: dalle ore 21 alle ore 22 il programma prevede un varietà musicale con salsa e merengue; dalle ore 23, lo spettacolo di una contorsionista ucraina, grande passione degli autotrasportatori. Tra i due numeri, quindi dalle ore 22 alle ore 23, il sottoscritto, col suo libro.

Capisco che qualcosa non va: sul palco con me c'è un presentatore in smoking e non ha idea di chi io sia. Giustamente, perché poi si cambia d'abito rivelandosi un eccellente giocoliere.

Di lì in poi, va peggio. Le famiglie che hanno preso posizione dalle ore 20, piazzando le borse sui divani, rimpiangono la salsa (intesa come ballo, non come sugo); gli autotrasportatori aspettano la giovane contorsionista ucraina, e si trovano davanti uno

scrittore italiano di una certa età, interamente vestito. Provo a raccontare qualcosa, ma è evidente che il
pubblico non è interessato. Dopo mezz'ora si avvici-
na mio figlio Antonio, impietoso: «Papà, perché insisti se non ti vogliono?». Per vendetta, penso. E mi
metto a parlare di Berlusconi, dell'Inter e delle pro-
spettive economiche dell'Italia meridionale. Quando chiudo e saluto, un breve applauso: finalmente la
contorsionista!

Il mattino dopo il commissario di bordo, entusiasta, viene a dirmi che è andata benissimo. Gli doman-
do se mi prende in giro. «Ma no!» risponde. «Lei è
stato bravo, altre presentazioni sono finite a insulti
e pernacchie.» Lo guardo male: adesso me lo dice?
Lui sorride, come sorridono gli uomini di mare, che
hanno conosciuto molte tempeste.

Scrittori e denari

Che cosa spinge una compagnia marittima a mettere in competizione uno scrittore con una contorsionista? Non lo so. Che cosa spinge le amministrazioni
locali a organizzare, sostenere, sponsorizzare le presentazioni dei libri? Questa risposta è più facile. La
passione per la cultura, certo; e la possibilità di ottenere molto con poco.

Gli scrittori, a differenza di altri professionisti, si
offrono infatti gratuitamente. Il verbo «offrire» non
è scelto a caso: molti di noi non aspettano di esse-

re invitati; si propongono. In tanti sono in grado di riempire un'aula o un chiostro, qualcuno addirittura una piazza; e chi non ci riesce si consola, a cena, pensando d'essere un intellettuale incompreso. È questa umana debolezza il carburante del sistema. Gli autori sono manodopera gratuita, zelante, incontenibile. Nessuno attraversa l'Italia per vendere venti copie d'un libro; molti invece sono disposti a farlo in cambio di cento occhi attenti e dell'applauso finale. Parlate con gli editori. Vi diranno: «Per impedire a quell'autore di andarsene in giro a presentare il libro dovremmo incatenarlo! E sarebbe fatica inutile. Si presenterebbe sul palco in ceppi, con un nuovo titolo: *Novello Prometeo*».

Invitate uno scrittore americano a tenere una conferenza. Vi ringrazierà e, poiché si tratta di una prestazione professionale, vi comunicherà qual è il suo onorario (*speaking fee*). Invitate un italiano. Nove volte su dieci accadrà quanto segue. Voi, per imbarazzo o per calcolo, eviterete di accennare all'eventuale compenso. L'invitato, per timidezza o per rassegnazione, non solleverà la questione. Verranno presi accordi (luogo, data, argomento) gravidi di sospetti. Chi invita avrà il timore d'essere stato scortese (spesso si compiacerà d'aver risparmiato). L'invitato penserà al viaggio che lo aspetta, alle spese che nessuno gli rimborserà, alla lunga cena dopo la conferenza e al mastodontico volume (argomento storico o artistico) che l'attende al termine della serata, implacabile come una condanna.

Nel mondo anglosassone, la retribuzione degli *speakers* è la regola; la prestazione gratuita, l'eccezione (se uno scrittore presenta il nuovo libro, per esempio). Se chiamate un idraulico, in America, lo pagate; se invitate un conferenziere, vi comportate nello stesso modo. Negli Stati Uniti si discute, semmai, sulla consistenza di certi compensi. George Will, celebre *columnist*, venne criticato proprio per questo motivo: chiedeva migliaia di dollari ogni volta che si spostava. In molti sono accorsi in sua difesa. Anche nel circuito delle conferenze, è stato osservato, vigono le regole del mercato. Se Mr Will riesce a ottenere compensi alti, tanto di cappello. Vuol dire che è bravo.

In Italia questo argomento è delicato. Presentatevi nudi a una riunione del vostro club, associazione, convivio: susciterete meno scalpore che domandando qual è il compenso destinato al conferenziere di turno, incaricato di intrattenere i presenti (intrattenere! Vocabolo orribile, che evoca i servizi dei giullari rinascimentali). Di denaro per una conferenza, semplicemente, non si parla (a meno che il conferenziere si avvalga di un'agenzia incaricata di questa trattativa). La busta con l'assegno, quand'è prevista, viene consegnata con aria carbonara, come se si trattasse della mazzetta per un assessore.

Sono gli strani pudori di un Paese spesso impudico. Un fritto misto di imbarazzo, snobismo, allusioni e omissioni. Ogni conferenziere ha, in proposito, i suoi aneddoti e le sue teorie. Tim Parks, scrittore inglese trapiantato da molti anni in Veneto, un giorno mi ha detto: «In Italia è radicata l'idea che l'oratore non vada retribuito, perché ogni uscita pubblica gli fornirà contatti utili in futuro. Presumibilmente, per tenere altre conferenze gratuite». C'è chi sostiene invece che l'ipocrisia in materia sia dovuta all'assenza della figura dell'intellettuale indipendente, che vive del suo lavoro e non cerca premi, privilegi e sottosegretariati.

A difesa di coloro che organizzano incontri, presentazioni, dibattiti e conferenze va detto questo: l'Italia, come abbiamo raccontato, è piena di gente che pagherebbe pur d'avere un microfono in mano e un pubblico davanti. La convinzione che l'aspirazione d'ogni essere umano sia intrattenere gratuitamente il prossimo è diffusa. Talvolta questo atteggiamento assume connotati surreali. Accade, per esempio, che gli organizzatori comunichino: «Le forniremo ospitalità per la notte». Come se l'ospite, quando non è in giro per conferenze, dormisse sotto i ponti. Altre volte l'offerta è più generosa: «Lei verrà ospitato in un buon albergo e sarà ospite a cena». Ovvero: si ritenga fortunato, avremmo potuto piazzarla in una pensione scadente vicino alla stazione e tenerla a digiuno.

Giampiero Mughini – scrittore di mestiere, bibliofilo per amore, ospite televisivo per necessità – anni fa ha pronunciato una frase memorabile: «Non so per quale motivo la gente voglia ascoltare le mie sciocchezze. Ma se ci tiene, paghi. Il denaro non è antitetico allo spirito. E lo spirito deve pagare le bollette».

È altrettanto evidente che uno scrittore può decidere di non farsi pagare (come un medico, un architetto, un idraulico). Per diversi motivi: per amicizia, per generosità, per disinteresse, per evitare potenziali conflitti d'interesse. Io non chiedo e non accetto compensi per incontri nelle scuole, e per quelli organizzati da associazioni di volontariato. Non li chiedo a enti governativi (gli Istituti di Cultura all'estero, per esempio) o a società di cui potrei occuparmi come giornalista. Quando li frequentavo – fino al 2000, poi ho dovuto smettere – non ho mai chiesto un soldo a Lions e Rotary. Ne ho un buon ricordo, devo dire: sono stati la mia palestra. Ah, quei treni nella nebbia, le cene di fianco alla moglie loquace del presidente, la sonnolenza postprandiale dell'uditorio, la gestione del socio voglioso d'attaccar briga! Che nostalgia della monografia artistica pubblicata dalla banca locale (tre chili, copertina rigida), poi abbandonata sul treno tra sensi di colpa.

Ah, quante cose ho imparato, girando a presentare i miei libri! Per esempio che l'Italia ronza di parole. Miliardi di parole. Parole di giornalisti e cabarettisti, filosofi ed economisti, matematici e mamme, psicologi e politici, governativi e televisivi, sacerdoti e saccenti, psicologi e dietologi, ex magistrati ed ex mafiosi, casi umani e autori casuali. Troppe parole, perché a qualcuno – salvo eccezioni – venga in mente di pagarle. Chi ha cose da dire, e sa dirle, perciò si rassegni. Quando i conferenzieri diventeranno preziosi come gli idraulici, verremo retribuiti. Accorreremo subito, anche di notte; e rilasceremo regolare ricevuta.

8

Chi si stupisce non si annoia

Non ho mai capito se viaggio per scrivere o scrivo per viaggiare. Di sicuro, per quarant'anni, ho fatto tutt'e due le cose.

Propongo di utilizzare questa esperienza – parola pericolosa, soprattutto a una certa età – per ricavare alcuni suggerimenti. Meglio: consigli in movimento. I miei non sono migliori di altri, ma presentano un vantaggio. Anzi, tre. Non voglio vendervi niente; sono partito spesso; e sono sempre tornato indietro. Non descriverò l'attraversamento del mondo, ma i pensieri che – viaggiando – dovrebbero attraversare la mente del viaggiatore. Non racconterò avventure; suggerirò atteggiamenti.

Cosa ho imparato una mattina prima dello sbarco del traghetto, e cosa ho capito su un aereo pieno di adolescenti. Quanto conta coltivare i ricordi, usando la musica e i dettagli. Perché è bene seguire le proprie inclinazioni (se una città ci affascina, c'è sempre un motivo). Come adattarsi ai cambiamenti. E quant'è importante, a ogni età, non eccedere con le aspettative, e continuare a stupirsi. Chi si stupisce, infatti, non si annoia. E, di solito, evita di annoiare il prossimo.

1. Imparare a guardare

Lettore modenese: «Complimenti per il vostro 7. È proprio bello, sa?». Grazie, che gentile. «E per "Il caffè". Lo leggo sempre.» No, quello è Massimo Gramellini: abbiamo in comune il «Corriere» e una «ini», ma non sono io. Lettrice modenese: «E poi *Gli sdraiati*! L'ho fatto leggere a mio figlio, sa?». Neanche quello sono io: il libro è di Michele Serra. Sono bravi colleghi, alla prima occasione ve li saluto.

La conversazione avviene alle 6 del mattino, mentre il traghetto attracca nel porto di Golfo Aranci, in Sardegna. La nostra umanità varia è stata svegliata alle 5 dagli altoparlanti e la scena fornisce la versione dantesca della vigilia della vacanza. Il salone della nave, che fino a poco prima era un dormitorio pieno di birre e confidenze, è diventato un purgatorio tranquillo, affollato di bambini assonnati e cani giudiziosi, anziani che temono di non ricordare in quale ponte sta l'auto – 4C, sta sempre nel 4C – e ragazze con lo chignon, decise a non mostrare come sono conciati i capelli dopo una notte posto ponte.

È bello trovare i lettori, anche se ti confondono con qualcun altro. È un modo istruttivo di misurare le nostre microcelebrità, e prenderle con un sorriso. Ed è bello stare tra la gente: a questo serve l'estate, a questo servono i viaggi. Il mestiere di giornalista è un modo di raccontare il mondo; se ci ritiriamo dal mondo, da quel momento scriveremo solo i ricordi di quando ci stavamo in mezzo. È una sindrome comune nella professione. A una certa età – si abbassa sempre di più – scatta l'idiosincrasia per la gente, la stessa gente che per anni s'è lasciata guardare e raccontare. Cresce il fastidio per il prossimo, giustificato in molti modi: i social sguaiati, l'ignoranza arrogante, il populismo spacciato per democrazia. Scuse deboli. Ci sono anche queste cose, ma il mondo è molto più vario e interessante di così.

Se un giornalista si ritira dalla società in cui vive ha smesso di fare il giornalista: ha cambiato mestiere, è diventato un'altra cosa (forse altrettanto interessante, magari più importante). Mi spingo oltre. Giornalista, in un certo senso, è chiunque voglia testimoniare la vita che vede. Ho capito perché ho scritto sedici libri – diciassette con questo – e non ho mai avuto la tentazione di un romanzo. Inventarmi storie mi sembra inutile, quando là fuori è successo e succede così tanto (unica eccezione, un testo teatrale).

E ho capito il motivo per cui i viaggi mi affascinano. Perché sono trame bell'e pronte. Hanno un inizio e una fine, episodi e personaggi, sorprese e conferme. Offrono assaggi di gioia intensa e momenti di preoccupazione. Partono con un'aspettativa e diventano un ricordo. Come potrò dimenticare quella famiglia di Modena? Mi ha attribuito meriti che non ho, mentre il caffè si raffreddava dentro la tazzina di plastica e l'alba lattiginosa della Sardegna del nord impartiva la sua lezione.

2. Imparare ad accettare

Due volte in cinque giorni, con un'aria condizionata polare. Un treno da Roma a Milano, poi un volo da Milano a Dublino. In un caso, migrazione di tredicenni dirette al concerto degli One Direction. Nell'altro, folate di adolescenti in rotta verso una vacanza-studio irlandese. Gli accompagnatori mostravano l'occhio vitreo di un nostromo di Conrad alla vigilia di una tempesta: li capivo.

Anche noi, molti anni fa, andavamo in vacanza-studio. L'ordine dei fattori – allora e oggi – è chiaro: prima vacanza, poi studio (tre ore al giorno di lezione, pausa compresa). I luoghi sono gli stessi: le città di lingua inglese che d'estate si trasformano in laboratori d'Europa (alla faccia di certi inglesi, per la gioia di irlandesi e scozzesi). L'età è simile, quel valico tra infanzia e gioventù che nella memoria assumerà contorni leggendari. Un'estate lontana, questi ragazzi del XXI secolo ricorderanno Beatrice seduta al posto 3C, cui passavano il cellulare dopo aver scritto un messaggio.

È istruttivo viaggiare con gli adolescenti. È un esercizio di tolleranza e un corso di umiltà. I ragazzi, tra i dodici e i sedici anni, fanno cose che il resto degli umani non capisce. Ma non deve capirle. Deve accettarle, e impedire che diventino pericolose. Spesso, invece, noi adulti non sopportiamo l'incomprensione. La distanza ci innervosisce. Non ci piace il modo sottile in cui la vita c'informa che sta arrivando qualcun altro, e non fa mai piano.

Non siamo uguali, e neppure vicini, per il fatto che andiamo in vacanza negli stessi posti e sappiamo usare lo stesso smartphone (si fa per dire, loro sono più veloci). Quaranta o cinquant'anni, a cavallo tra due secoli, con internet di mezzo, rappresentano un'era geologica. Noi non siamo dinosauri. Ma dobbiamo accettare che siano apparse nuove specie, che sotto quei cappellini fosforescenti e al riparo di cuffie enormi ci siano teste diverse che pensano in modo diverso. E qualcosa combineranno, se sapremo proteggerle senza gridarlo in giro.

In quei giorni, ricordo, s'era scoperto un giro di prostituzione minorile a Roma, quartiere Parioli. Letta su quell'aereo, tra sciami di adolescenti, la vicenda appariva ancor più vergognosa. Un uomo adulto che non vede l'ansia e la gioia sotto quei bronci e quei primi trucchi è un malvagio. Azzurra e Aurora – i nomi scaltri scelti dagli sfruttatori in quella vicenda – avrebbero potuto essere due di quelle giova-

nissime italiane in transito. Ragazzine che gridava-
no, spingevano e ridevano, in simbiosi con una fel-
pa e quattro amici.

A loro, in situazioni come quella, noi adulti possiamo chiedere solo una cosa. Questa: nell'autobus
verso l'aereo, perché diavolo tenete addosso lo zai-
no e occupate il doppio dello spazio?! Ma anche a
questa domanda, come a tante altre, non otterremo
risposta. Un sorriso distratto, magari. Lo stesso che
avremmo tirato fuori noi, tanti anni fa.

3. Imparare a ricordare

Sappiamo tutti che amore e musica si mescolano bene.
Fin troppo: l'ovvietà dell'abbinamento ha impigrito
molti autori. Ma viaggi e musica? Perché certi brani
restano stampati nella memoria, collegati a luoghi e
incontri? Una misteriosa saldatura tra suoni, vicende, persone: so che avviene, ma non so perché.

Voi direte, è semplice: durante il viaggio s'ascolta spesso una canzone, e rimane in mente. D'accordo. Ma mentre attraversavo gli Stati Uniti in treno
(2012), da Portland (Maine) a Portland (Oregon), ho
ascoltato dozzine di canzoni: perché proprio *Chicago*
di Sufjan Stevens? L'ascolto e torna l'odore caldo
delle stazioni americane. Odore Amtrak: inconfon-
dibile. Perché, quando ho ripetuto la traversata nel
2013 con mio figlio Antonio, passando da sud, mi è
rimasta in mente *Run* di George Strait? Perché dice

«*There's a train moving fast down the tracks*», e quei treni li abbiamo presi anche noi (sebbene non fossero così veloci)?

Due anni prima, nel 2011, avevo viaggiato da Mosca a Lisbona. Seimila chilometri. Sempre in treno. Ricordo all'arrivo, nel sole portoghese, *Good Life* degli OneRepublic, una canzone per l'Europa, un pezzo di mondo che mi ostino a considerare felice (specialmente se paragonato a tutti gli altri). Nel 2010 invece ero sceso da Berlino a Palermo. Ancora oggi, se ascolto *Viaggi e miraggi* di Francesco De Gregori, mi sembra di tornare sul trenino semivuoto che scivolava dentro la Sicilia. Occhi luminosi dicevano cose diverse dalle parole prudenti che uscivano dalle labbra. Noi ascoltavamo, pensando al viaggio che stava per finire.

Tra il 2014 e il 2016 – ne parleremo – ho portato in scena *La vita è un viaggio*. Tra una rappresentazione e l'altra, mentre aspettavo di uscire sul palco, ascoltavo *Runaway* e *I Need My Girl* dei The National. Lo stesso ho fatto, per dodici settimane, prima di condurre *L'erba dei vicini*, in diretta su Rai 3. Ancora oggi, se ascolto *Runaway*, mi sembra di tornare in un camerino, negli studi Rai di via Mecenate o in un teatro da qualche parte in Italia. Mi piaceva restare da solo ad ascoltare, al buio. Non so se cercassi la concentrazione, la rassicurazione della ripetizione oppure mi colpisse il titolo. *Runaway* è uno che scappa. Lo stavo facendo anch'io, in un certo senso.

4. Imparare a tornare

Diciannove chilometri dal centro di Mosca, direzione sud. Per arrivare bisogna prendere la linea 1 (rossa) fino a Prospekt Vernadskogo, poi camminare lungo ulica Udal'cova, poi percorrere Leninskij Prospekt, poi trovare il numero 93, poi l'edificio 2, poi salire all'appartamento 61 al settimo piano. Quest'ultima operazione sarebbe stata impossibile senza l'aiuto del proprietario di una società import-export caucasica che ha suonato tutti i campanelli gridando: «Aprite! Ci sono due italiani che dicono di aver abitato qui nel 1991!».

Così si torna. Così si scopre che Mosca, in un quarto di secolo, è cambiata ma non del tutto. È sempre bello chiudere i cerchi, e trovare giochi per bambini al posto della garitta col poliziotto che fingeva di controllare gli stranieri. È strano ricordare Boris, Sergej e Olga – traduttore, autista e cuoca – che condividevano con noi tre stanze intasate di scorte alimentari. Per mesi ho dormito sopra flaconi di baby-shampoo e barattoli di frutta sciroppata: chissà se hanno cambiato la mia visione del mondo.

L'ascensore è lo stesso, così le porte, i balconi e le scale dalle quali sono sceso a vedere una delle più goffe rivoluzioni della storia. Un colpo di Stato – quello dell'agosto 1991 – tentato per impedire il collasso dell'Unione Sovietica, che ha finito per accelerarne la fine. Nel fango, tra le assi e le lamiere davanti alla Casa Bianca, c'erano manovali robusti, pensionati mal rasati, donne di casa che avevano dormito dentro una corriera per tre notti, con la faccia appoggiata al finestrino. I giovani, quelli che c'erano, non erano studenti. Erano invece operai della periferia, strani *hippies* fuori dal tempo, piccoli punk che al sabato pomeriggio andavano a ballare all'aperto in Gor'kij Park, tra i soldati in licenza e le ragazzine con la bocca a cuore.

I personaggi scesi per le strade contro i carri armati erano questi. I conservatori sovietici, che li detestavano, sostenevano che fossero la feccia della società. Quei nuovi russi non difendevano un'idea astratta, ma le piccole conquiste degli ultimi anni. Cibo decente, filmacci americani nelle sale di Mosca, il sogno di un viaggio all'estero. Quell'ultimo assalto del comunismo – lo ricordo bene – è stato respinto da contrabbandieri formato famiglia, piccoli *spekulanty* che sognavano di diventare commercianti e con mazzi di rubli in tasca andavano al ristorante Olimp di fianco allo stadio Lužniki. Li avevo visti spesso, abbracciati a ragazze troppo bionde con gonne troppo corte, mentre ascoltavano l'orchestra che suonava *Feelings*, fingendo che quello fosse l'Occidente.

Dopo quell'anno incredibile sono tornato a Mosca, ogni tanto, trovando sempre una città diversa: caotica nel 1996, inquietante nel 2000, illusa nel 2005, cauta nel 2008, rassegnata e convinta – nel 2011 – che la tranquillità fosse più importante della democrazia. Oggi, tra sanzioni e omissioni, è alla ricerca di una difficile autosufficienza. Vladimir Putin si muove con cinismo e abilità in patria e nel mondo. Ma l'economia russa è malmessa, ha le stesse dimensioni di quella italiana e deve mantenere un Paese due volte e mezzo più popoloso e cinquantasette volte più grande.

Mosca però vale la pena: sempre. Viaggiando in metropolitana – linda, precisa, spaziosa – si potrebbe perfino credere nel socialismo reale (poi si leggono le biografie dei socialisti che l'hanno voluta, e passa). Sotto i trent'anni tutti hanno gli auricolari nelle orecchie e gli occhi sul telefono. Sopra i cinquanta, uno sguardo impassibile. Tutti, all'occorrenza, mostrano una cortesia inversamente proporzionale alla comprensione delle lingue straniere. Tutti lasciano intendere, come in Cina, che il potere è meglio lasciarlo in pace.

C'era un'automobilina verde di latta incastrata tra due balconi dell'edificio 2 al numero 93 di Leninskij Prospekt. L'avevo eletta a simbolo della precarietà dell'Unione Sovietica. Oggi non ci sono più né l'URSS né l'automobilina. Resta la precarietà di Mosca: ma forse è il suo fascino, quello che cola dai romanzi e dagli sguardi, quello per cui si deve tornare.

5. Imparare a scegliere

Non so da dove venga il mio amore per Trieste. Non ci sono nato, non ci sono cresciuto, non ci ho abitato, non ci ho lavorato, non ne sono scappato e non mi sono innamorato passeggiando per viale XX Settembre. Eppure Trieste è – insieme a Milano, dove però alcune di queste cose le ho fatte – la città italiana che preferisco. Mi piace e basta. Mi emoziona quando ci arrivo e la rimpiango mentre la lascio. Una questione sentimentale, che si può provare a spiegare. Ma, come tutti i sentimenti, va presa per quello che è.

Credo che Trieste mi piaccia perché è un confine mentale. È italiana, germanica e slava; è cristiana, ebrea e orientale; è letteraria e mercantile. Qui finisce il sud: l'Adriatico si insinua in Europa, e decide che più in là non può andare. Qui finisce il nord: il Carso è il balcone del continente, e Vienna amava affacciarsi. Qui finisce l'est: l'alito della Russia non è mai riuscito a spingersi oltre, e adesso nelle terre di mezzo si vive finalmente in pace. Qui finisce l'ovest: le caserme non servono più, i confini servono meno. Ma è emozionante scoprire che l'Italia termina dietro una curva, a Muggia. E ricordare che ci sono tanti italiani anche di là.

Trieste mi piace perché è piena di vento (come la Sardegna, l'Irlanda, Lisbona e quasi tutti i posti interessanti). Agli amici triestini dico: «Voi la chiamate bora, ma è vento d'Europa». Poi aggiungo: «Avete una luce unica, verdi pazzi e grigi meravigliosi (nessuno ha un grigio come il vostro). Conoscete la tensione meteorologica: non siete una Florida qualunque, dove il sole brilla monotono e i turisti sbadigliano. Qui fa freddo e fa caldo, si scivola scendendo da San Giusto d'inverno e si fa il bagno a Barcola d'estate». Quelli mi guardano come io guardo gli inglesi che mi parlano della Toscana: incredulità mista a tenerezza. Ma, in fondo, gratitudine.

Trieste mi piace perché è una città politica, quindi mutevole, quindi umana. Dipenderà sempre dallo slittamento delle faglie del potere europeo: la geografia non si sceglie, la storia nemmeno. Come centro urbano, fu una creazione dell'Impero austroungarico, ricco di terre ma povero di coste. All'inizio del Settecento era un borgo di tremila abitanti, popolato da pescatori, salinatori, orticultori; divenne il porto dell'Impero, con monopolio di importazioni ed esportazioni, dazi preferenziali, tariffe ferroviarie agevolate. Quel mondo è finito cent'anni fa, e per cent'anni Trieste ha visto di tutto: tragedie e resurrezioni, promesse e tradimenti, amnesie e sciatterie. Ma si fa voler bene indipendentemente da queste cose. Guido Piovene arrivò qui nel 1954, due mesi dopo il ritorno di Trieste all'Italia, e scrisse parole semplici e belle: «Entro su un terreno che brucia. Il mio rifugio è nella sincerità. Amo Trieste di un amore speciale che non è solo patriottico, ma come città in se stessa, fatta di persone e di case tra cui si è contenti di vivere anche se non sono l'oggetto di una passione nazionale o la sede di un dramma» (da *Viaggio in Italia*).

Trieste mi piace perché è letteraria. Non solo la densità di scrittori per chilometro quadrato era – è ancora – impressionante (Svevo e Saba, Stuparich e Slataper, Quarantotti Gambini e Tomizza, Magris e Rumiz, Covacich e Tamaro e molti altri). Si tratta di una città letteraria particolare. Roma, Napoli, Venezia, Firenze sono città teatrali: anche nei libri, si esibiscono. Milano, Torino, Bari e Palermo sono città narrative: macchine per costruire trame. Trieste, come Genova e Cagliari, è una città poetica. E la poesia sbuca dovunque: da un angolo, da un viale, da un tavolo del caffè Tommaseo, dalle vele della Barcolana che si accendono insieme nel sole. Impossibile non coglierla.

Trieste mi piace perché è una partenza e un traguardo: dipende dalla direzione. Nel 1990 ho guidato da Muggia a Ventimiglia. Nel 2013 ho preso treni (in seconda classe) da Trieste a Trapani: mi attiravano l'assonanza dei nomi, il passaggio dall'estremo nord-est all'estremo sud-ovest, l'Italia che cambiava faccia, ma non del tutto. Nel 2018 ho proposto al «Corriere» di seguire la costa da Ventimiglia a Trieste, inclusa quella di Sardegna e Sicilia. Trenta tappe, trenta giorni, trentaquattro giornalisti, settemila chilometri. A chiudere il *Lunghissimo Lungomare* – ultima tappa, Venezia-Trieste – ho voluto esserci io. Vedere la Volvo bianca con la scritta rossa («7-Corriere della Sera») davanti all'allungo di piazza Unità mi ha commosso. Venivamo da lontano ed è andato tutto bene.

Un po' come è successo a Trieste, in fondo.

6. *Imparare a cambiare*

Viaggiavamo su una Austin Montego verso il Nord dell'Inghilterra: io alla guida, Ortensia di fianco con un atlante stradale sulle ginocchia. Guidare sulla sinistra richiede concentrazione, e la giovanissima fidanzata s'era offerta di farmi da navigatrice. A una ventitreenne con gli occhi turchese si perdonano molte cose: anche mancare l'uscita dalla *motorway*, e gridare «Era quella lì!» quando l'avevamo superata. Imperdonabile, invece, quello che ho visto subito dopo con la coda dell'occhio: Ortensia teneva l'atlante stradale al contrario. Non aveva la minima idea di dove fossimo, né di dove andassimo.

Ricordando l'episodio, e la mia indignazione, mia moglie ride ancora adesso, trentatré anni dopo. Con una differenza: oggi viaggia meglio di me. Legge le carte stradali, studia le guide, usa Booking e Google-Maps. Siamo tornati da poco da Israele, dov'è riuscita a seguire un itinerario della predicazione di Gesù, risalendo la Cisgiordania fino a Cafarnao in Galilea (nonché a uscire dalla città vecchia di Gerusalemme senza chiedere indicazioni). Non sa fare solo questo, Ortensia: con un iPhone trova l'albergo a Haifa e il ristorante a Tel Aviv, vede, prevede (il tempo e i miei umori), chiama un taxi, fa il check-in online.

Se state pensando: Ma queste cose sappiamo farle pure noi!, posso dirlo? Probabilmente non avete la mia età. D'accordo: ho una moglie tecnologica, un figlio e diversi nipoti digitali (Ilaria su tutti!). La giovane redazione di 7 mi aiuta (costringe?) a tenermi aggiornato. Non è sorprendente, quindi, che io sappia ancora viaggiare. Ma so che, prima o poi, diventerà difficile. Non per l'impegno fisico: per il carico di novità. Chiedete ai miei coetanei quanti usano Gett o Uber all'estero, o aprono FlightBoard per controllare il ritardo di un volo. Metteteli davanti ai totem per il check-in, in un aeroporto, e contate quante persone sopra i cinquant'anni li usano.

La rivoluzione digitale sta alzandosi come uno spartiacque tra due generazioni: quella che la subisce e quella che la cavalca. Certo, sono molti i sessantenni che, come me, sanno usare i nuovi strumenti; ma presto ne arriveranno di nuovissimi, e saremo spiazzati. L'accelerazione è troppo veloce, niente del genere era mai accaduto nella storia dell'umanità e della tecnologia.

La varietà delle piattaforme e degli schermi è solo un assaggio del mondo che verrà. Con la televisione, però, si può bluffare; con i viaggi, no. La prossima volta che vedete un anziano imprenditore impettito o un intellettuale stagionato scendere da un treno ad alta velocità, ricordate: quel viaggio, da solo, non avrebbe saputo prenotarlo; e ignora come cambiare una prenotazione. Non sa utilizzare, infatti, la app di Trenitalia. Quando non avranno più un assistente, il presidente e il professore dovranno restare a casa, dove rischieranno d'annoiarsi. O forse no: passeranno il tempo a dire che non ci sono più i viaggi di una volta, e si consoleranno così.

7. *Continuare a stupirsi*

C'è un modo sicuro per complicarsi la vita: riempirla di aspettative. Nel lavoro, nelle amicizie, in amore, nel tempo libero, nei viaggi. Qualcuno, particolarmente dotato, riesce a caricare di aspettative anche squadre di calcio, cantanti, attori, perfino personaggi politici. Quando le aspettative vengono disattese – in sostanza, quando le cose non vanno come avevamo sperato – restiamo delusi. È il marchio di questi anni: sogni brevi e musi lunghi.

Sia chiaro: non tutte le aspettative sono sbagliate. Qualche investimento emotivo dobbiamo pur farlo. Una persona senza aspettative è un robot. Ma una persona con troppe aspettative è un incosciente. Il problema, qual è? Che l'industria dell'aspettativa è potente, ricca e fantasiosa.

La politica produce aspettative. In parte, è giusto che sia così. Far politica vuol dire impacchettare sogni e venderli per un voto. Ma dentro il pacchetto, se il piazzista è onesto, dev'esserci qualcosa. Quello cui stiamo assistendo in Italia è preoccupante. Le riforme su cui abbiamo ragionato sono bloccate; altre rischiano d'essere cancellate. I ponti crollano, le grandi opere sono ferme; lo scontro elettorale appare infinito. Le speranze diventano prima illusioni, poi delusioni. E le delusioni sono pericolose. Nessun partito ha il coraggio di dire ai cittadini che le risorse sono limitate, e occorre scegliere. Tutti promettono.

La pubblicità crea aspettative. Il trucco, dalle automobili all'igiene intima, è far credere che, in seguito a un certo acquisto, le cose andranno diversamente. Nell'Europa settentrionale le aspettative sono ridotte (niente cattivi odori, l'auto tiene la strada). La pubblicità italiana, soprattutto in televisione, è specializzata in aspettative clamorose: tu sarai bella e seducente! Tu apparirai forte e sicuro! Di solito, non accade. E, se accade, non è merito di un'auto o di un deodorante.

Lo sport genera aspettative. Il calciomercato – che non finisce mai, di fatto – è diventato il supermarket della speranza. Non importa il risultato della mia squadra la scorsa stagione. Stavolta andrà meglio. Quel nuovo acquisto, da tre anni, non combina nulla? Fa niente: troverà l'ambiente giusto, ci darà soddisfazioni! Le aspettative sportive vendono ascolti, copie, magliette, abbonamenti (allo stadio, alla pay-tv). Dalle delusioni si passa all'euforia: basta un centravanti di una certa età.

I viaggi vivono sulle aspettative: ecco perché ce ne occupiamo qui. Amici, amori, compagni, posti: tutto deve essere scintillante e gratificante. Il carico di attese che rovesciamo su relazioni traballanti e luoghi provvisori è imponente e insidioso. Le aspettative diventano pretese. Ci costruiamo un filmato mentale – documentario, fiction, commedia romantica, serie televisiva, cartone animato (dipende) – e poi ci restiamo male se la realtà si rivela un piccolo horror. Domanda: c'è un modo per non restare delusi? Forse sì. Aspettiamoci di meno, arriverà di più. Impariamo a trovare cose che non stavamo cercando. Stiamo attenti ai dettagli, soprattutto in viaggio: i giornalisti devono farlo, e spesso lo dimenticano. Conoscete *Il viaggiatore spaesato*? Non è il libro più noto di Giorgio Bocca, né il migliore. Ma guardate come racconta un arrivo in treno.

Il brutto più brutto delle città lo si vede da un vagone letto, quando l'inserviente vi porta il caffè che sa di cicoria, fuori piove e il treno procede tra scambi e semafori per il retrobottega sudicio della città, quello che non appare dalle strade, ballatoi stipati di robe vecchie, coperti di teli di plastica, le pareti annerite, scrostate, le finestre opache a due metri dai binari, e dietro, invisibile, un'umanità logorata dai rumori rotolanti, dai sibili, da lugubri sirene, già stanca appena sveglia, in canottiera e vestaglia.

Un bravo viaggiatore tiene gli occhi aperti e vede la bellezza dov'è insolito trovarla, magari negandola. Non smette mai di stupirsi. Potete farlo anche voi: è una forma di manutenzione mentale. Guai a dimenticarsene: si ferma il motore.

9

Cambia, se non vuoi essere cambiato

Avete sentito il rumore del trattore?

Vengo da una famiglia di agricoltori e scelgo una allegoria rurale: cos'ha pensato il maniscalco quando ha sentito il rumore del trattore? Come dobbiamo comportarci quando capiamo che il nostro mestiere rischia di scomparire? Non è una domanda retorica. Non sono spariti solo i maniscalchi, insieme ai cavalli da tiro; sono spariti i macchinisti a vapore, le balie, i linotipisti, i riparatori di fax. Alcuni mestieri sono ridotti a nicchie: stenografi, arrotini, spazzacamini. O hanno gli anni contati, come i bigliettai e i cassieri di banca. Altri ancora rischiano grosso. Noi giornalisti, per esempio.

Che cosa deve fare il maniscalco quando sente il rumore del trattore?

Primo: accertarsi che sia un trattore e non una bufala. Non tutte le rivoluzioni annunciate si sono rivelate tali. Dell'automobile che si guida da sola siamo ancora in attesa; un bravo autista non ha motivo di disperarsi.

Secondo: accertarsi che tutti vogliano il trattore, per arare il campo. Prendiamo i libri di carta. Molti ne avevano previsto la scomparsa, dopo l'avvento dell'e-book. In verità il libro è un oggetto romantico; a differenza del quotidiano, che è un servizio (tutti abbiamo in casa una libreria, solo un pazzo tiene cinque anni del «Corriere» o del «Messaggero» in salotto).

Terzo: imparare a guidare il trattore, e ad aggiustarlo se si rompe. I fotografi campavano sulla pellicola, ma sono stati rapidi a spostarsi sul digitale. I migliori agenti di viaggio sono diventati consulenti turistici. I notai, colpiti dalla crisi immobiliare e da novità normative, potrebbero diventare preziosi consulenti familiari in materia patrimoniale (lo capiranno prima loro o gli avvocati?).

Quarto: non pensare che l'abitudine, la legge o il sindacato garantiscano la sopravvivenza. Per qualche tempo, forse; ma alla lunga la realtà vince sempre. Per resistere a Uber, i taxisti non devono gridare o minacciare: devono mostrarsi più efficienti dei concorrenti. Gli albergatori hanno ragione a chiedere norme e imposte uguali per tutti; ma, per reggere la forza d'urto di Airbnb, diventino più accoglienti. Non chiedano la squalifica del nuovo solo perché è nuovo.

Un giornalista che non teme per il mestiere non è superficiale: è incosciente. Oppure è a fine carriera, non deve preoccuparsi di se stesso e non si è mai preoccupato degli altri. Devo dire che, con qualche eccezione, sono circondato da colleghi inquieti, quindi consapevoli. Non sappiamo cosa succederà. È chiaro che l'informazione, il racconto e il commento del mondo saranno diversi, tra dieci anni. Ma quanto verrà retribuito il lavoro? Dove sarà impacchettato? Come sarà distribuito?

Chi lo indovinasse, guadagnerebbe un sacco di soldi (e molta riconoscenza). Nel frattempo, cerchiamo di capire gli errori da evitare. Ne cito uno: limitarsi a fare una cosa sola. Non sto parlando di iper-specializzazione – alcuni ne sono attratti, altri atterriti – ma del rifiuto di utilizzare mezzi diversi. Quotidiani, periodici, libri, rete, televisione, radio, cattedra e palcoscenico. Non c'è bisogno – ed è praticamente impossibile – diventare bravi in tutto. Ma adeguati, sì. In qualche caso, addirittura efficaci.

Alcuni diranno: «Pensi questo perché quelle cose le hai provate». Errore: ho provato quelle cose perché penso questo.

Prendiamo la televisione. Il mio esordio risale al 1985: un collegamento da Londra con *Linea diretta* di Enzo Biagi, dopo un bombardamento sulla Libia; e tre servizi per Canale 5 (il primo su un gruppo di punk di Pordenone che vivevano senza riscaldamento in periferia). Non intendevo cambiare mestiere: essere il corrispondente da Londra per il «Giornale» di Montanelli era un sogno. Volevo capire se si potesse aggiungere qualcosa. La tv commerciale forniva nuovi strumenti e, a ventotto anni, volevo capire quali fossero (i giovani giornalisti fanno lo stesso, oggi, con i social).

Al ritorno in Italia, nei primi anni Novanta, sono stati i libri a portarmi in televisione. Il palcoscenico del *Maurizo Costanzo Show* era impegnativo, ma mi ha insegnato che non bisogna temere di essere popolari; ci si può riuscire senza diventare stupidi. In seguito ho ideato e condotto quattro programmi per Rai 3 e altrettanti per Sky (tre per Sky Tg24, uno per Sky Sport). Tra il 2010 e il 2014, su La7, ho partecipato a *Le invasioni barbariche* di Daria Bignardi, dove credo – spero – d'aver appreso i tempi televisivi dell'intervistato, diversi da quelli dell'intervistatore. In questi anni sono spesso ospite di Lilli Gruber a *Otto e mezzo*. Osservando lei, ho imparato qualcosa anch'io.

Non vado in televisione per smania di popolarità; non ho mai pensato di diventare un personaggio televisivo. La cosa che amo di più – e forse faccio meno peggio – è scrivere. Ma la diretta mi diverte: la trovo piacevolmente adrenalinica. E so che il video mi offre una doppia opportunità: raggiungere un pubblico vasto ed esprimermi in modo differente. Se qualcuno di voi, guardandomi sullo schermo, avesse l'impressione di trovarsi davanti una persona diversa dall'autore di questo libro, sarebbe disastroso. Non mi sembra che accada, per fortuna.

Può cambiare come dico le cose; ma non cambiano le cose che dico.

Ricordo quando, nel 1997, ho accettato di condurre il mio primo programma, *Italians, cioè italiani*, su proposta di Renzo Arbore, allora direttore artistico di Rai International. Trenta interviste a italiani celebri nel mondo: da Umberto Eco a Dario Fo, da Gae Aulenti ad Aldo Rossi, da Roberto Baggio ad Alberto Tomba, da Monica Bellucci a Gina Lollobrigida. Il mio contratto con il «Corriere» lo consentiva; gli sguardi di certi colleghi, meno. Il mio esperimento veniva visto come una pericolosa distrazione (da alcuni, come un inutile esibizionismo).

È cambiato tutto: oggi vedo la stessa curiosità in tanti giornalisti di via Solferino, e mi sembra normale. Mi ha colpito la disinvoltura con cui hanno affrontato i video del *Lunghissimo Lungomare*, il viaggio collettivo del «Corriere della Sera» sulle coste italiane, di cui abbiamo parlato. È cronaca, è reportage, è racconto, è televisione, è un prodotto online? Non importa: è giornalismo.

Cambia, se non vuoi essere cambiato. Può sembrare brusco, ma è il consiglio che mi sento di offrire a chi si affaccia al nostro mestiere; a chi lo frequenta da molti anni, ed è frastornato dalle novità; e a chi s'appresta a lasciarlo, in modo da farlo bene, e senza strappi.

Uomini, topi e televisione

Studi Rai di via Mecenate a Milano, settembre 2015. Stiamo preparando *L'erba dei vicini*, un confronto tra l'Italia e gli altri Paesi, in programma su Rai 3 in prima serata, da novembre. Vengo convocato e redarguito: perché la mia redazione ha lasciato una mela sul tavolo? Chiedo di ripetere la domanda. Me la ripetono e spiegano: la mela, come ogni genere alimentare, attira i topi. Non accada più, per favore.

Confesso che ci ho messo un po' a riprendermi dallo stupore. La Rai, Radio Televisione Italiana, non toglieva i roditori dalle redazioni. Sgridava i giornalisti colpevoli di indurli in tentazione.

Voi penserete: ti sarai arrabbiato. Neanche per sogno. Ero entusiasta, invece. Tutte le mie esperienze di lavoro con la Radio Televisione Italiana si sono rivelate indimenticabili perché, dietro la professionalità di molti e la sfacciataggine di qualcuno, hanno offerto momenti surreali. Eugène Ionesco non avrebbe mai potuto diventare un autore Rai, ma sarebbe stato un ottimo direttore generale. L'unico che, in tanti anni, si sarebbe trovato a suo agio.

Durante la produzione dell'*Erba dei vicini* ne sono successe tali e tante da farmi pensare che il nome del programma fosse diventato un titolo di cronaca: qualcuno forse si fumava sostanze proibite coltivate nei dintorni. Pochi giorni dopo l'episodio della mela – che chiedo d'inserire tra quelli di Adamo ed Eva,

Biancaneve, Isaac Newton e Guglielmo Tell – ricordo l'espulsione.

È andata così. Il capostruttura, Loris Mazzetti, ci aveva accolto con entusiasmo, aggiungendo però una frase sibillina: «Sapete, siete qui come clandestini...». Dopo un mese di lavoro intenso, abbiamo capito il significato di quelle parole. Sono stato convocato nuovamente: qualcuno avrà dimenticato una banana sul tavolo, ho pensato. No, stavolta la faccenda era diversa e più grave: dovevamo lasciare subito gli studi di via Mecenate, saremmo rientrati dopo un mese. Ho chiesto: (A) Perché ci cacciate? (B) Dove andiamo nel frattempo? Risposta: il programma non ha ancora un numero di matricola, non potete restare qui. E perché, di grazia, il programma non ha ancora un numero di matricola? Perché ci sono stati ritardi a Roma. Ma dobbiamo andarci di mezzo noi per i ritardi vostri? Sorrisi, silenzio e arrivederci.

Restava il problema evidenziato nella domanda (B): dove andare? Redazione e produzione di un programma di prima serata espulsi da un giorno all'altro. La co-produzione – Ruvido, di Luisa Pistoia e Carlo Gavaudan – s'è presa carico del problema e ci ha trovato, in fretta e furia, una sistemazione provvisoria in un nuovo edificio di via Ascanio Sforza, sul Naviglio Pavese (metro Romolo, linea verde). Tanto nuovo che non era ancora finito: abbiamo lavorato con muratori di ogni nazionalità sulle impalcature; i corrimano delle scale erano

protetti da volantini con le offerte dei supermercati, per non farci sporcare le mani. Il nome dell'edificio: «If». Espellere un nuovo programma e man-
darlo in un posto che si chiama «Se». Ma la Rai è
così: un eterno condizionale.

Cinque settimane più tardi siamo rientrati in via
Mecenate. Abbiamo aperto le porte della redazione e ogni cosa era al suo posto, comprese le ma-
tite sui tavoli. Ho domandato, certo della risposta: abbiamo un numero di matricola, finalmente?
Non proprio, mi è stato detto. Come «non proprio»? Il numero di matricola in effetti c'è, ma è
come se non ci fosse, perché non è stato inserito
nel sistema. E perché non è stato inserito? Risposta leggendaria: l'impiegata che doveva farlo ha
sbagliato tasto.

Nella seconda edizione (2016), la redazione si è
trasferita in corso Sempione dove abbiamo imparato tante cose nuove. Per esempio: il giorno di messa
in onda era come il meteo, cambiava continuamente (in sei puntate, siamo passati dal lunedì, al venerdì al giovedì); e l'ambiente era sensibile agli ascolti come un sismografo ai terremoti (anche i tornel-
li d'ingresso si aprivano più lentamente, dopo il mo-
desto risultato della puntata, doverosa, sulla Turchia
di Erdoğan). E in Rai, va detto, sono capaci di generosità. I buffet di Raquel, la delicatezza di Raffaella
in studio, la pazienza del biblico Soldani in regia, la
passione di costumiste e truccatrici. E Beppe Chia-

ra, lo scenografo caravaggesco. Quando s'è accorto che l'erba sintetica per lo studio aveva due colori diversi – erano stati ordinati due lotti, uno prodotto in Italia e uno importato dalla Cina: perché? – è salito in macchina ed è andato a comprare il pezzo di prato che mancava.

Voi capite: come si può non voler bene alla Radio Televisione Italiana? Mi ha affidato un programma di prima serata, senza spinte o raccomandazioni (il direttore Andrea Vianello gli ha pure trovato il titolo). Mi ha permesso di scegliere gli autori (l'omerica Ilenia, il mistico Taddia, il pensoso Lieto, la floreale Filiasi, il burbero Ferrari, l'estemporaneo Passaniti, l'irrequieto Musumeci); i redattori-inviati (Giada Messetti, Silvia Righini, Filippo Ghirardi, Gianni Rosini, Rossella Tercatin, Stefania Chiale e Micol Sarfatti, che nella seconda serie hanno esordito nella rubrica *Vite parallele*); e la produzione (Edoardo Fantini, Patrizia Riverso, Martina Malaisi, Eleonora Marazzi).

Nella seconda serie la nuova direttrice di Rai 3, Daria Bignardi, mi ha lasciato libero di raccontare Paesi complessi: la Russia di Putin e la Cina neo-imperiale, la Grecia in dissesto e Israele in fermento. Diciamo che non tutti, in viale Mazzini a Roma, avevamo afferrato che, per metter su un programma sul mondo, bisogna andare nel mondo: un'attività dispendiosa, in termini di tempo, fatica e denari. Ma ce l'abbiamo fatta comunque, e siamo stati attenti alle spese, anche perché erano soldi pubblici. Due serie di *L'erba dei vicini* – dodici puntate in prima serata – sono costate come una puntata del programma *Dieci cose* su Rai 1, andato in onda nello stesso periodo.

Ci hanno fatto i complimenti quando, l'ultimo giorno, abbiamo scattato la foto di gruppo al centro degli studi Rai di via Mecenate.

L'ho riguardata con affetto, qualche giorno fa. In basso a destra, mi è sembrato di vedere un topo.

Teatro e paracadutismo

Due viaggiatori, un professionista di una certa età e una giovane attrice, si incontrano nell'aeroporto di Lisbona, dove restano bloccati per uno sciopero dei voli. Non si conoscono, hanno una notte davanti. All'inizio si studiano, diffidano l'uno dell'altra. Lui è sarcastico e paternalista, a tratti pedante. Lei è ingenua, esasperata, stanca dell'Italia e dell'Europa che s'appresta a lasciare per trasferirsi in Brasile. Lui spiega, lei ascolta. Lui chiede, lei tace. Lui consiglia, lei sbuffa. Poi, lentamente, l'intimità forzata cambia i rapporti. La ragazza intuisce che, in modo goffo, quello strano tipo vuole rendersi utile. Cambia atteggiamento, e riesce ad aiutare lui più di quanto lui riesca ad aiutare lei.

Le donne, non solo sul palcoscenico, arrivano prima.

Da dove viene questa trama? Me la sono inventata. Nel 2014 avevo già pubblicato diversi libri, tutti di saggistica. Di colpo ho capito che volevo raccontare almeno una storia; e ho scritto un testo teatrale.

L'ho chiamato *La vita è un viaggio*, come il libro che mi è servito da ispirazione. La regia era di Francesco Brandi. Con me sul palco ho voluto Marta Rizi, una brava attrice che avevo conosciuto a Oxford, anni prima; ed Elisabetta Spada, una musicista dalla voce incantevole, incontrata a Bruxelles.

Non pensavo di saper scrivere per il teatro, ma la mia produttrice – Mariangela Pitturru (Ms Pitt), Mismaonda – mi ha convinto del contrario. Ancora più sorprendente: non avevo idea di poter recitare. Sono io il viaggiatore che vuole dispensare consigli alla giovane Marta: sul lavoro, sulla vita, perfino sul bagaglio a mano (mai un trolley con due rotelle: sempre quattro rotelle, c'è una differenza tra spingere e tirare!). Abbiamo provato a lungo, prima di debuttare. Le prime due settimane sotto un portico in campagna, dopo aver sfrattato Mirta e Romeo (labrador: lei nera, lui miele). Abbiamo esordito al Festivaletteratura di Mantova, il 9 settembre 2014; poi abbiamo portato lo spettacolo in giro per l'Italia (e a Bruxelles), fino al 15 febbraio 2016. Cinquanta repliche. E, con mia sorpresa, ogni volta i teatri erano pieni. Gli spettatori sembravano apprezzare quello che mettevamo in scena. Li ringrazio: perché mi hanno insegnato diverse cose.

Cosa può imparare un giornalista sul palcoscenico?

Uno: è un dialogo, non un monologo.

In teatro ogni battuta è legata alla battuta successiva. Gli attori dipendono gli uni dagli altri; e tutti insieme dipendono dal pubblico: dai suoi applausi, dai suoi silenzi, dalle sue risate. Recitare è una conversazione, non un comizio. Ecco quello che un buon giornale dovrebbe essere, ora che ci penso.

Due: la storia conta, alla fine dei conti.
La narrazione è fondamentale. In teatro mi sono accorto che il pubblico vuole sapere come va a finire: e ha ragione. Nei giornali dimentichiamo spesso di raccontarlo: una vicenda esplode, occupa pagine e pagine, poi sparisce (che ne è stato di quell'inchiesta, di quell'accusa, di quella persona?). In teatro è impossibile non rispondere. Convincerò Marta a dimenticare lo pseudo-fidanzato in Brasile, a restare in Europa, a continuare a provare? Cosa farò, dopo aver passato la notte a ragionare con lei? Manterrò i miei piani? Volerò, come se nulla fosse, verso il prevedibile convegno americano?

Tre: essere precisi è vitale.
Sul palcoscenico una parola e un gesto possono fare la differenza. Mi sono accorto, durante il monologo centrale, che l'effetto comico cambiava a causa di una pausa o di un movimento. Le parole, scrivendo, sono ugualmente importanti. Ma il teatro permette di pronunciarle lentamente o rapidamente, dolcemente o con decisione. Il copione non cambia; gli attori e il pubblico, sì. Sul palcoscenico – anche grazie ad Andrée Ruth Shammah, che dopo

la prima serata al teatro Franco Parenti di Milano mi ha consigliato di limitare i gesti – ho imparato a non sprecare un movimento. Se puntiamo il dito contro qualcuno, facciamolo pesare.

IO (*sarcastico*): Com'è eccitante passare la notte con una bionda ottimista.

MARTA (*irritata*): Non sono bionda. Non sono ottimista. E non passiamo la notte insieme.

IO (*puntando il dito*): Lei è legalmente bionda. Che le piaccia o no, siamo bloccati qui insieme fino all'alba. E scommetto che riuscirò a farla diventare ottimista. Meno pessimista, almeno.

Quattro: il pubblico ce lo dirà.

Scrivendo cerco di immaginare quale sarà la reazione del lettore: qualche volta ci prendo, qualche volta meno. Ma devo aspettare: alla scrittura segue la pubblicazione, alla pubblicazione la lettura, alla lettura la riflessione, alla riflessione la reazione. Che magari non conoscerò mai, neppure ai tempi impulsivi dei social. In un teatro, la risposta del pubblico è istantanea. Neppure la televisione in diretta consente la stessa immediatezza. La reazione si deduce, tutt'al più, dai risultati d'ascolto del giorno dopo. Non certo da un applauso guidato o da una risata registrata.

Cinque: non esiste una seconda possibilità.

Nessuno mi aveva detto che il teatro è come il paracadutismo. Una volta fuori, non puoi rientrare.

Dopo aver lasciato l'aeroplano, il paracadutista deve solo pensare a non sbagliare e ad atterrare senza farsi male. Dopo aver lasciato la quinta, ed essere entrato in scena, un attore deve andare avanti. Una rappresentazione non si può fermare. Un oratore, durante una conferenza, può concedersi una battuta o una divagazione; può ripetere un concetto oppure omettere un passaggio. Può chiedere scusa e interrompersi. Un attore, no. Ecco cosa rende eccitante il palcoscenico: è rischioso.

Felini alla radio

Presentate un testo scritto, anche lungo, a una ottantenne: lo affronterà senza timori. Mettete un ventenne davanti a una videocamera: la sua naturalezza vi sorprenderà. Porgete un microfono a un cinquantenne/sessantenne: difficilmente verrà intimidito (e probabilmente rifiuterà di restituirvelo).

Come si sono formate la Generazione Testo, la Generazione Video e la Generazione Audio?

La Generazione Testo è quella dei miei genitori: nata tra le due guerre, cresciuta nell'Italia fascista. Ha conosciuto l'apoteosi quotidiana della parola scritta e del motto elegante. Le scuole erano monomediali, se mi passate il termine: c'erano i libri, e bisognava farseli bastare. Mio padre era del

1917. Fino al 2016 ha letto il «Corriere» ogni giorno, da cima a fondo. Quando prendeva in mano un atlante, si illuminava; se apriva un libro, non si spaventava. Cercava una matita, invece, e segnava note a margine (soprattutto se quel libro l'avevo scritto io!).

La Generazione Video è quella di mio figlio: nata negli anni Ottanta, Novanta e Duemila. È abituata a vedersi in faccia. Quand'ero ragazzo c'erano gli specchi, le macchine fotografiche con la pellicola, la cinepresa di famiglia e la televisione. Le reti private hanno portato volti nuovi sullo schermo: uno accendeva il televisore, trent'anni fa, e poteva trovarci la vicina di casa e Umberto Smaila, magari nello stesso programma. È stata la fotocamera del cellulare a cambiare tutto. Ritrovarsi dentro un'immagine (fissa, in movimento) è diventata una cosa normale. La consuetudine alla propria faccia, come sappiamo, sta diventando una dipendenza – selfie, WhatsApp, Instagram, FaceTime, Skype – ma un risultato l'ha ottenuto: i nuovi italiani non si spaventano davanti a un obiettivo.

La Generazione Audio è la mia: nata negli anni Cinquanta e Sessanta. La generazione dell'hi-fi, delle casse con gli altoparlanti che occupavano mezza camera da letto, dell'autoradio estraibile con le audiocassette registrate più volte. È la generazione che, a metà degli anni Settanta, si è entusiasmata per le «radio libere», con tanta musica e le telefonate in diretta. Linus ha esordito nel 1976, il sottoscritto l'anno dopo: chi ha fatto più carriera radiofonica lo sapete, ma l'esperienza ci ha segnato in tanti. Così come l'assemblea a scuola: chi, nel 1975, è riuscito ad afferrare un microfono nella bolgia e pronunciare frasi di senso compiuto, oggi è pronto per qualsiasi amplificazione.

Ho ritrovato in un cassetto un adesivo rettangolare, nero, con una stella dorata e la scritta bianca: RADIO CREMA CENTRALE, 103 FM mhz. L'ho incorniciato sopra il mio primo articolo, perché in fondo da lì è cominciato tutto: prima di scrivere per mestiere, ho parlato per hobby.

Ricordo i fogli pieni di parole che portavo in studio – due stanze in fondo a via Mazzini, a Crema – e poi declamavo al microfono, alternando la lettura con canzoni rock (portavo gli LP da casa, li riportavo via a fine trasmissione). Testi umoristici o sentimentali, a seconda dello stato d'animo e del tempo atmosferico. La sera tardi, quando il pubblico era ridotto ma, nella mia fantasia, appassionato. Il numero non era importante: bastava comprendesse Giuditta, per cui lasciavo spesso Pavia, dove frequentavo l'università, e rientravo a Crema. Aveva occhi blu elettrico e mi piaceva: ero convinto apprezzasse i miei monologhi intimistici ispirati ai Jefferson Airplane. Oggi, col senno di poi, ho qualche dubbio.

In un libro recente, *Sette tesi sulla magia della radio*, Massimo Cirri – autore e voce storica di

Caterpillar su Radio 2 – spiega che il mezzo consente «intimità collettiva» e induce «una contraddizione feconda: parlare a tanti, la massa di chi ascolta, migliaia, a volte centinaia di migliaia di persone – restando nel contempo nel perimetro di un discorso faccia a faccia. Forse proprio perché alla radio non ci si guarda in faccia». Affermazione incontestabile, e circostanza per me fortunata. Mi sarei vergognato, probabilmente, di quel flusso di coscienza – una vergogna, insieme, sentimentale e sintattica – e del modo in cui sfumavo brutalmente brani splendidi, nell'ansia di riprendere a parlare (i Pink Floyd mi avranno perdonato, alcuni ascoltatori forse no).

Non solo: con l'aiuto di due amici – Marco studente d'Architettura e musicista eccentrico, Stefano studente di Medicina e calciatore inquieto – avevamo creato un personaggio chiamato Uzurzillo, una sorta di animale parlante che irrompeva nei programmi gridando come un ossesso. Un plagio clamoroso dello Scarpantibus di *Alto gradimento*, creato da Renzo Arbore e Gianni Boncompagni. Ma che importa: si vive, si copia e si sogna liberi, a vent'anni.

Eppure quelle notti al microfono, tra Giuditta e l'Uzurzillo, mi sono servite. Mi hanno insegnato, per esempio, a parlare in pubblico prima di avere un pubblico; e mi hanno abituato all'ambiente, assai particolare, degli studi radiofonici, un incrocio tra un acquario e un manicomio: porte imbottite, luce artificiale, vetri divisori, bocche che si muovono senza emettere suoni e suoni emessi da bocche che non si vedono.

Quando sono arrivato a Londra, a metà degli anni Ottanta, ho scoperto che BBC Radio – The World Service, ma non solo – intervistava spesso i corrispondenti stranieri. Nei primi anni Novanta, dopo l'uscita di *Inglesi* in inglese, gli inviti si sono moltiplicati, soprattutto su Radio 4: il programma del mattino *Today*, *Fourth Column*, *Europhile*, *Loose Ends* con Ned Sherrin. Ho anche registrato un paio di puntate di *From Our Own Correspondent*, senza essere un corrispondente della BBC. Per un giornalista anglofilo, valevano un'onorificenza.

Mia moglie sostiene che la radio mi è congeniale, più della televisione. Non ho mai capito se si tratta di un complimento o di una constatazione (la mia voce è meglio della mia faccia). Ma comunque l'osservazione non mi dispiace.

Dopo qualche anno, ho scritto una serie di dieci lunghi interventi per Radio 2 e l'ho intitolata *Oggetti del Duemila* (comprendeva un monologo di dodici minuti sulle graffette). Nello stesso periodo, con Lella Costa, ci siamo inventati *Inglese perfetto, naturalmente*, un corso d'inglese teatrale (io ero l'insegnante, lei l'allieva). Ho poi partecipato, sempre su Radio 2, alla trasmissione *Atlantis*; e condotto più volte la rubrica antelucana *Prima pagina*, su Radio 3, dove ho cominciato a percepire l'umore nazionale che cambiava: stava finendo l'età della sudditanza, lo si capiva dagli interventi degli ascoltatori.

Nel 2003 Radio24 mi ha chiesto di inaugurare un programma pre-serale, che ho chiamato *L'Utopista*. Il programma s'è evoluto negli anni, ha cambiato diversi conduttori finché è diventato *La Zanzara*, la popolarissima, e sguaiatissima, trasmissione di Giuseppe Cruciani. I detrattori non me ne facciano una colpa e i sostenitori non mi attribuiscano alcun merito. Le utopie, si sa, producono sorprese. Anche se una diatriba sulle flatulenze domestiche, alla radio di Confindustria, non me l'aspettavo.

A metà degli anni Duemila ho deciso di impegnarmi di più. La radio ogni tanto mi corteggiava, e io – neo-cinquantenne – ero felice di lasciarmi corteggiare. È stato Alberto Hazan a convincermi a intervenire quotidianamente su Radio Monte Carlo (RMC), in compagnia di Luisella Berrino e Massimo Valli. Da loro ho imparato diverse cose, una su tutte: che l'allegria obbligatoria del conduttore è una forma di eroismo, e va ammirata. Occupandomi d'attualità, godevo di una deroga: ero autorizzato a lasciarmi trasportare dai miei umori e a esprimere le mie occasionali preoccupazioni. Ho cercato di farlo con leggerezza e, appena possibile, con ironia.

Sono stato un apprendista volenteroso, devo dire. Uno dei miei inconsapevoli maestri è stato Massimo Cotto, un giovane filosofo nel corpo di un anziano adolescente; con lui e con Maurizio Faulisi (Dr Feelgood), tra il 2016 e il 2017, abbiamo creato *Rock & Talk*, su Virgin Radio. Tutti i giorni, tra le 8 e le 9 del mattino, l'orario migliore per l'autoradio. All'inizio, giustamente, Massimo e Maurizio erano diffidenti verso il nuovo arrivato cui veniva affidato uno spazio ambito; poi hanno capito che qualcosa sapevo e il resto lo volevo imparare. Li chiamavo «dottore» e «professore», e parlavo di tutto: di cronaca e di lavoro, del mondo e dell'Inter, dell'Italia insofferente e della politica straripante, delle nostre passioni e della mia gattina Priscilla, diventata presto una star (una condizione per lei normale, il successo non l'ha cambiata).

Rock & Talk mi ha insegnato una cosa: la radio non può essere soltanto estemporanea. Deve unire spontaneità e preparazione: se una domina sull'altra, il prodotto sarà sciatto o noioso. L'autrice era Stefania Chiale, che aveva partecipato all'avventura dell'*Erba dei vicini* ed era impegnata nella preparazione del nuovo 7 del «Corriere della Sera», dove oggi lavora. Ogni giorno cercava gli argomenti adatti e ce li proponeva. In regia, Nico Carminati sembrava divertirsi. Marco Miana ci assisteva discretamente. Eravamo un piccolo gruppo affiatato, e abbiamo fatto registrare ascolti formidabili. Non è bastato per il rinnovo. Si avvicinava la campagna elettorale, e Mediaset – proprietaria della radio, proprietà di Berlusconi – in questi casi diventa una simpatica caserma: tutti allineati, delle licenze si riparla dopo le elezioni.

La rete e i cani

Mi sono accorto, con una certa apprensione, che sto per compiere venticinque anni su internet. È vero che noi italiani amiamo gli anniversari – ci consentono di atteggiarci a reduci, una specialità nazionale – ma un quarto di secolo, in un ambiente per definizione nuovissimo, mi sembra un tempo enorme. La rete e i cani, infatti, calcolano gli anni nello stesso modo: uno vale sette.

Cosa facevo, dunque, centosettantacinque anni fa, nella primavera 1994? Arrivavo a Washington D.C. come corrispondente per «La Voce», come ho raccontato. Poche ore dopo aver posato la valigia dentro casa, chiamavo uno dei miei pochi conoscenti locali, Mike Kinsley, che conduceva *Crossfire* sulla CNN. «*Welcome, Beppe. Are you all wired up?*», sei già tutto collegato? Collegato a cosa? mi sono chiesto. Il portatile era alimentato dalla presa elettrica, voltaggio americano: non bastava? Mike a quel punto mi ha parlato di un servizio chiamato CompuServe e di internet. Del primo non avevo mai sentito parlare, del secondo vagamente.

Quando il modem interno – che fino ad allora usavo per mandare gli articoli via fax a Milano – si collegava, emetteva sfrigolii inquietanti; quando s'interrompevano, il collegamento era avvenuto. A quel punto – lentamente, in bianco e nero – comparivano alcune scritte sullo schermo e CompuServe permetteva di fare cose insolite, ma non indispensabili, come conoscere il tempo a San Francisco. Prima però dovevo digitare http://sfgate.com/new/schron/indexi.cgi e ogni altro comando in modalità *terminal emulator*; i browser non esistevano ancora, Netscape sarebbe arrivato all'inizio del 1995. CompuServe forniva anche un servizio elementare di messaggistica, attraverso cui i colleghi proponevano: «Pizza, stasera?». Questo era già più interessante.

Alcuni esperimenti sono risultati impegnativi – tentare di acquistare una camicia con lo «shopping elettronico» (si chiamava così) – altri abbastanza semplici. Per esempio, leggere «U.S. News & World Report» nella sezione «Notizie» senza scendere fino a Wisconsin Avenue. Ci voleva però un minuto e trenta secondi per caricare il testo dal World Wide Web, la ragnatela mondiale (poi banalizzata in www): avrei fatto più in fretta ad andare a comprarlo. Il mio storico MacIntosh SE (1987) includeva un'applicazione chiamata AppleTalk, che avevo ritrovato nel PowerBook 140: permetteva a un computer di collegarsi a un altro attraverso un cavo. Io pensavo, nella mia ingenuità: pensa che bello se potessero farlo senza fili. Sognavo internet, e non lo sapevo.

Quando sono tornato a Milano, ho capito che il mio apprendistato digitale risultava avveniristico. Molto semplicemente: pochissimi capivano di cosa stavo parlando. Ai tempi, gli utenti italiani di internet erano circa duecentomila, poco più dei tifosi del Lanerossi Vicenza. Ricordo quando raccontavo di questa novità al «Corriere» e venivo ripagato, spesso, con sorrisi scettici; gli stessi che toccavano a Gianni Riotta. Eravamo i due americani, e ci sentivamo pionieri. In effetti, un po' lo eravamo. Bill Gates racconta d'aver scoperto internet durante una visita all'Università di Cornell, nell'autunno 1994, quando s'è accorto che gli studenti si scambiavano messaggi via web. Sei mesi prima del fondatore di Microsoft! Non male, per uno di Crema.

Devo dire che riprendere confidenza col mezzo non si è rivelato facile. Avevo acquistato un computer da tavolo Apple Performa, uno dei peggiori catorci messi in commercio dall'azienda di Cupertino. Ad Apple sono rimasto sempre fedele, come un carabiniere all'Arma; ma in quel periodo il mio attaccamento è stato messo a dura prova. Si poteva collegare il cavo televisivo allo schermo; per il resto, un disastro. Blocchi continui e inspiegabili, procedure cervellotiche. Per scaricare il programma che consentiva di accedere alla rete occorreva inserire un Cd-rom fornito dal provider, che si chiamava Video On Line ed era basato a Cagliari. Quando non capivo qualcosa – accadeva spesso – chiamavo l'assistenza clienti e passavo un'ora al telefono. Per anni internet ha conservato l'accento sardo, per me. Del Campidano, volendo essere precisi.

Poi, a poco a poco, le cose sono migliorate. Nel 1996, su Corriere.it, ho lanciato un racconto interattivo con i lettori, chiamato *Il filo di Arianna* (io scrivevo le puntate dispari, loro le puntate pari). Due anni più tardi – il 3 dicembre 1998 – è nato il forum/blog

«Italians» (prima della nascita del termine «blog», che risale alla primavera 1999!). Mi aiutavano due colleghi, i già citati Marco Letizia e Paolo Virtuani, da me ribattezzati Letizia Virtuale (molti erano convinti che si trattasse di una fanciulla). Testata rossa con una mia caricatura, disegnata da Chris Riddell: un omino con l'impermeabile (alcuni lettori maliziosi lo definivano «sessualmente sospetto»). Pubblicavamo dodici lettere ogni giorno, ne ricevevamo a centinaia: un social prima dei social, che mi permetteva di restare in contatto con i lettori del «Corriere» sparsi per il mondo, e sapere cosa pensavano.

Per conoscere di persona questi nuovi italiani da esportazione, ogni volta che mi trovavo in una nuova città per lavoro, proponevo una pizza insieme, lasciando l'organizzazione a uno di loro. Uno sconosciuto, quasi sempre: eppure mai una furbizia, mai una delusione, mai una sciatteria. Abbiamo organizzato 104 Pizze Italians in undici anni (56 in Europa, 19 in America del Nord, 6 in America del Sud, 3 in Africa, 15 in Asia e 5 tra Australia e Nuova Zelanda): la prima a Londra (1999), l'ultima a Città del Capo (2010). All'organizzatore regalavo un piatto d'argento con un'incisione: la testata del blog, l'indicazione del luogo e della data, il numero della Pizza Italians. Si pagava alla romana. Molti lettori in quelle occasioni si sono conosciuti; diversi si sono innamorati, fidanzati, sposati e hanno fatto figli.

«Italians» si è evoluto nel tempo. All'inizio del 2002, sfruttando una data palindroma (20-02-2002), abbiamo lanciato un concorso per raccontare quella giornata nel mondo; abbiamo ricevuto più di cinquemila contributi e premiato i vincitori a Milano. Nel 2003 abbiamo aggiunto le fotografie (la «Dodicesima Lettera»). Nel 2004 il lunedì sportivo («Sport-Italians»). Appena s'è diffusa la banda larga, nel 2006, abbiamo creato «PuntoItalians», una diretta-video settimanale, in cui i lettori potevano porre domande agli ospiti. Nel 2008 è arrivato il libro *Italians. Il giro del mondo in ottanta pizze*, insieme a un e-book scritto dai lettori. Nel 2009 abbiamo prestato a Giovanni Veronesi il nome *Italians* per il suo nuovo film.

Sono passati vent'anni – centoquaranta, sulla rete. «Italians» è ancora vivo, grazie all'impegno di Paolo «Tex» Masia che dal 2000 se ne occupa quotidianamente. Ormai il forum è modernariato digitale, dopo l'avvento dei social; ma al «Corriere» gli vogliamo bene.

Con Corriere.it e Corriere TV mi sono inventato tante altre cose. Ne cito un paio. Quattro lunghi viaggi in treno, raccontati attraverso un video quotidiano (grazie Gianni Scimone e Soledad Ugolinelli!): *Berlino-Palermo* (2010), *Mosca-Lisbona* (2011), *Atlantico-Pacifico* negli USA (2012) e *Trieste-Trapani* prima delle elezioni politiche del 2013. E la rubrica settimanale *3 Minuti 1 Parola*, cento puntate tra il 2011 e il 2013. L'idea era semplice: prendere il vocabolo o l'espressione della settimana – «risibile» o «straordinario», «tanta roba» o «società civile», «moralista» o «servo del potere» – e costruirci sopra un ragionamento. Illustrato. I disegni in movimento erano di Francesco Angeli e dei suoi Impermeabili, marcati stretti da Chiara Seronelli e Ilaria Spagnuolo. Credo di essere stato il primo editorialista, nella storia del «Corriere della Sera», a diventare un cartone animato.

Meno entusiasmante, ma altrettanto istruttivo, è stato un esperimento condotto – e interrotto – nel 2011. Abbiamo introdotto, a grande richiesta, la possibilità di commentare le dodici lettere che apparivano su «Italians». Quasi subito, la possibilità di commento è diventata libertà di insulto. A quel punto abbiamo adottato la cosiddetta «moderazione» – un filtro redazionale, per impedire la pubblicazione di testi diffamatori o peggio – ma ci siamo resi conto che, per tenere a bada cinquanta fanatici, occorrevano cinque persone a tempo pieno; e non ce le potevamo permettere. Un utente particolarmente molesto usava dodici identità, di cui tre femminili. Risultato: pochi idioti hanno rovinato il piacere di molti lettori. Una lezione amara, e una premonizione di quanto sarebbe accaduto, dopo qualche anno, sui social.

A proposito: li frequento? Certo, ma non tutti e non allo stesso modo. Mai Snapchat (non ho l'età); ogni tanto Instagram (non ho il tempo); poco Facebook, di cui capisco il senso e l'utilità professionale, ma non mi ha mai appassionato. Molto Twitter, invece, dal 2009. Mi è sembrata, da subito, la piattaforma più adatta a un giornalista. Oggi ho 1,13 milioni di follower. Ma ho sempre evitato di discutere con chi scriveva insulti; e il numero di costoro è cresciuto esponenzialmente. Da due o tre anni, dopo ogni articolo sul «Corriere» e ogni apparizione televisiva, soprattutto se il tema è la politica, gli attacchi sono violenti e le offese, spesso, nauseanti. Mia moglie sostiene che non devo leggere certe cose, perché mi cambiano l'umore. Non è vero, protesto. Basta non rispondere, e pensare che cento fanatici non rappresentano un campione statistico. Sono solo un termometro del livore nazionale. Che sale, ed è sempre più orgoglioso di se stesso.

Anziani in concerto

Ho visto *American Utopia*, il concerto di David Byrne al Teatro degli Arcimboldi di Milano. Non è stata soltanto una splendida serata, e un modo di convincere Ortensia che i Talking Heads sono geniali (in occasione del nostro trentaduesimo anniversario di matrimonio, tanto ci ho messo a persuaderla). Il concerto mi è piaciuto perché dimostra una cosa: non è necessario ripetere e ripetersi. Si può inventare a qualsiasi età.

David Byrne ha sessantasei anni e si muove sul palco come un grillo (vogliamo conoscere il suo osteopata). Lo avevo visto a Berlino nel 1979, quando avevo ventidue anni (e lui ventisette): il grillo allora scattava come una mangusta, e per me la sua musica fu una rivelazione. Mi aveva trascinato al teatro Metropol un'amica inglese, decisa a rieducarmi: non poteva sopportare che ascoltassi solo Cat Stevens e Crosby, Stills, Nash & Young. *This Must Be the Place* e *Life During Wartime* hanno cambiato i miei gusti, e – credo – la mia comprensione del ritmo delle cose. Ho capito, una sera d'inverno, reduce da Berlino Est, che il mondo si muoveva, anche più in fretta dei Talking Heads.

David Byrne non lo scopro io, ovviamente. È un artista poliedrico, e riesce a fare bene tutto quello che affronta. Perché ha intuito, gusto, passione artigianale per i dettagli. Il gruppo musicale di *American Utopia* è formato da dodici persone in movimento; non si vede un cavo, gli strumenti – dalle percussioni africaneggianti alla tastiera – vengono portati/indossati, e contribuiscono alla coreografia. Un concerto che diventa un ballo che diventa un racconto teatrale. Semplice, forse; però bisogna pensarci. E provarci.

David Byrne ci ha pensato e ci ha provato. Molti l'ammirano per questo. Ha ridato fiato ed energia ai classici dei Talking Heads; ha messo nuovissime tecnologie al servizio delle idee (non il contrario, come spesso accade). Come David Bowie, ha unito generi diversi, mescolando molte esperienze (dall'arte figurativa ai libri, dal cinema al teatro). Non succede spesso di trovare persone capaci di rinnovarsi dopo tanti anni. Soprattutto se hanno avuto successo. A una certa età, purtroppo, scatta la coazione a ripetere. Le repliche sono rassicuranti, credono in molti (sbagliando). Vale in tutte le professioni.

Lo sto vedendo anche durante l'esperienza come direttore. Alcuni coetanei, davanti a una proposta insolita, s'illuminano; altri si spaventano e si ritirano. Vorrei poter aiutare i secondi e mi congratulo con i primi. Non siamo tutti David Byrne, ma credo che il miglior modo di invecchiare sia cercare stimoli nuovi, osare qualcosa, mettere l'esperienza al servizio dell'invenzione; e per far questo è utile mescolare talenti e generazioni.

Quindi grazie, Mr Byrne. Non ci metteremo a ballare come lei, ma un po' di riconoscenza gliela dobbiamo in tanti.

Cambia, se non vuoi essere cambiato.

10
Cosa s'impara insegnando

La stanza vuota

Ogni tanto, la sera, resto al giornale fino a tardi. Prima di uscire, passo nella stanza vuota della redazione. Le luci accese, i computer silenziosi, i Post-it sotto gli schermi, gli appunti sui tavoli, i giornali aperti e i libri chiusi, le bottigliette d'acqua lasciate a metà, il disordine sotto le scrivanie (vero, Irene?). Penso a quando avevo l'età delle mie redattrici e dei miei redattori. Il desiderio di rendersi utili, la voglia di dimostrarsi bravi, il timore di non essere compresi. Le ansie prima delle partenze, l'euforia silenziosa al ritorno, la voglia di far capire con gli occhi di essere stati lontano.

Dirigo 7, il settimanale del «Corriere della Sera», dal 1° marzo 2017. Il primo numero è uscito sette settimane dopo. Ho chiesto di portare con me persone nuove – siamo arrivati in sette – e ho chiesto aiuto a chi già c'era. Non siamo molti in redazione: diciotto, tra giornalisti, grafici, ricerca fotografica e segreteria. Se aggiungiamo i collaboratori esterni, arriviamo a trenta. Non avevo mai diretto trenta persone. Avevo creato uno spettacolo teatrale e condotto alcuni programmi televisivi. Anche un capocomico e un conduttore, in fondo, sono direttori: devono indirizzare, organizzare, motivare. Soprattutto, devono essere convinti di volerlo fare.

Per trent'anni, nei giornali, non mi era capitato. Nei tre quotidiani della mia vita – «il Giornale», «La Voce» e, da ventitré anni, il «Corriere della Sera» – avevo suonato uno strumento – pianoforte o nacchere, fate voi – ma non dirigevo un'orchestra, neppure una parte. In qualche modo, però, mi stavo preparando: l'ho capito dopo, come accade. La scoperta del piacere di insegnare, e la gioia di scovare il talento, erano iniziate alla scuola di giornalismo «Walter Tobagi», tenendo alcuni corsi nelle università e crescendo una brava allieva. Ma anche girare il mondo e conoscere tanti giovani connazionali, negli anni Duemila, aveva qualcosa di istruttivo e pedagogico (le due cose vanno spesso insieme).

Comunque sia, è accaduto. Ho capito che mi piaceva veder maturare le persone intorno a me. Quando, alla fine del 2016, mi è stata offerta la direzione di 7 – ne avevo declinate altre, in passato – ho accettato. Con cinque colleghi di talento, ospiti nella redazione della rivista «Giallo», in via Leopardi a Milano, circondati da centinaia di copertine con una sorprendente varietà di assassini, abbiamo messo insieme il cosiddetto «numero zero». Non si trattava di un restyling, ma di un prodotto completamente

nuovo. Mi aspettavo un cortese: «Grazie, ci ragioniamo...». Invece l'editore Urbano Cairo e Luciano Fontana, il direttore del «Corriere», mi hanno detto: «D'accordo, proviamoci».
Così, ci ho provato.

Non è stato facile, all'inizio: esiste una fatica quotidiana, nella direzione, che non immaginavo. Servono tenacia e tolleranza. È necessaria esperienza di redazione, e io ne avevo poca. Per fortuna ho trovato un ottimo caporedattore centrale, Edoardo Vigna; una *photo-editor* appassionata, Chiara Mariani; una brava organizzatrice, Manuela Croci; e Antonio D'Orrico, sul cui aiuto contavo molto. Con me sono arrivati Lorenzo Giuffredi, un artista grafico geniale, cresciuto in America, che s'è integrato in un bel gruppo (Luca Milani, Nicola Gandelli, Carlo Lodolini, Jlenia Damiata); Annamaria Speroni, poi sostituita dal talentuoso Luca Mastrantonio; e quattro tra le più brave giovani giornaliste che conoscevo (di loro parlerò tra poco). Una squadra che molti c'invidiano. Resta un fatto: creare un nuovo periodico di questi tempi – mentre molti chiudono, altri rattrappiscono – è come veleggiare controvento: entusiasmante, ma impegnativo.

Subito, dentro e fuori il giornale, hanno iniziato a chiamarmi «direttore». È un titolo che mi ha sempre ispirato diffidenza. Ho visto colleghi cambiare abito, passo e fisionomia, quando sono stati nominati direttori. Sapevo che a 7 non sarebbe accaduto, anche perché in redazione avrebbero riso come matti davanti alla mutazione e mi avrebbero preso in giro. A dire il vero, già lo fanno: ma con affetto, e per altri motivi. Non so perché, ma scateno l'istinto anarchico delle persone che lavorano con me. È anarchia rispettosa, però; quindi, una buona cosa.

Avrei voluto filmare la reazione di due redattrici quando hanno visto nella mia stanza, nei primi giorni di lavoro, la grande bandiera sovietica – raso rosso, scritte gialle in cirillico – che mi ero portato via da Mosca nel 1991. «Sta lì» ho spiegato, cercando di assumere un'espressione credibile «a indicare la mancanza di democrazia. Al massimo, istituiremo un Comitato centrale. Ascolto tutti, come sapete. Ma alla fine decido io.» Le colleghe hanno trovato il discorso esilarante, e sono andate via contente.

All'inizio dell'avventura, un investitore pubblicitario è passato a trovarci in redazione. Voleva sapere quale giornale avessimo in mente, e abbiamo deciso di raccontarglielo in gruppo. È stato uno spettacolo teatrale, non una presentazione. A un certo punto l'ospite ha suggerito, rispettosamente, che non avremmo dovuto mettere online il contenuto dell'inchiesta di copertina: solo qualche riga, e poi rimandare al settimanale di carta. La più giovane del gruppo – Chiara, classe 1989 – è schizzata in piedi, neanche l'avesse punta un'ape. «Eh no! Se mi fanno una cosa del genere, io m'incazzo! E m'incazzo nera!» L'importante investitore pubblicitario, la sera, mi ha scritto: «Presentazione strepitosa, il tempo è volato via». E poi, sia detto per inciso, ha deciso d'investire.

Ah, dimenticavo: quando sorridono e mi chiamano «Direttore» – o «Dir», non sapendo che dalle mie parti è il nome di un cane da caccia – i miei stanno per combinare qualcosa. Ma siamo una redazione felice, e 7 – credo si intuisca, sfogliandolo – è un settimanale felice. Voi direte: finché dura. Certo: finché dura. Si sa, tutto passa. Umori, editori e direttori. Ecco perché ho proibito di avvitare il cartello col mio nome, fuori dalla stanza in via Solferino. Ho soltanto spostato il Post-it con scritto BSEV, lo stesso che mi segue da anni in giro per il giornale. Finché l'adesivo tiene, andiamo avanti.

Sette cose utili

Se il nuovo 7 funziona – e funziona – il merito è del gruppo che abbiamo messo insieme, e del modo di lavorare che abbiamo inaugurato. Non parlo solo della redazione e dei collaboratori fissi, ma anche dei tanti colleghi del quotidiano che ci danno una mano, aggiungendo un impegno ai tanti impegni.

Ma un settimanale è come un buon pranzo: qualcuno deve pensarlo, cucinarlo e servirlo. La squadra di 7, in questo, è formidabile. Proverò a indicare sette cose utili per il lavoro di tutti – anche fuori dai giornali, credo. Le elenco qui senza dilungarmi, poi le esamineremo una a una.

1. *I posti belli producono buone idee.* Non sottovalutate le condizioni del luogo di lavoro. Possono ispirare o deprimere, rasserenare o innervosire, consolare o abbattere.

2. *Mescolare fa bene.* Generazioni, talenti e competenze. È accaduto in tutti i luoghi del genio: dalla Firenze di Leonardo alla Silicon Valley di Steve Jobs. Funziona anche in uno studio professionale o in un'azienda.

3. *Volpi e ricci sono complementari.* Le prime sono eclettiche, fantasiose, irrequiete; i secondi sono determinati, precisi, resilienti. Sono due tipi umani, entrambi indispensabili in ogni attività.

4. *Meno è meglio.* Tutto ciò che non è necessario rischia d'essere dannoso. Come minimo, fa perdere tempo. Un esempio? La miglior riunione è quella che non si fa.

5. *Viva il dissenso.* Chi non è d'accordo, deve poterlo dire senza temere sorrisi di sufficienza, ostracismi o ritorsioni.

6. *Fuori dalle scatole!* Bisogna pensare l'impensato (talvolta l'impensabile). *Outside the box,* fuori dalla scatola/dal recinto, dicono gli inglesi. Fuori dagli schemi, diciamo noi. L'immagine anglosassone è più efficace. Le scatole e i recinti sono luoghi claustrofobici, meglio starne fuori.

7. *La leggerezza non è superficialità.* Chi si prende troppo sul serio annoia, si annoia e sforna prodotti noiosi.

1. *I posti belli producono buone idee*

Prima di iniziare a lavorare insieme abbiamo cambiato l'aspetto della redazione. Ora è comoda e luminosa. Non abbiamo aggiunto praticamente nulla; ci siamo limitati a portar via (ripiani inutili, scaffali, armadi, scatoloni, pannelli divisori, mucchi di vecchi giornali, pigne di libri che sembravano torri babilonesi). Perché lo abbiamo fatto? Semplice: perché i bei posti producono buone idee.

I luoghi di lavoro sono importanti. È importante l'armonia, è importante la luce, è importante la temperatura, è importante il rumore, è importante l'equilibrio degli spazi e degli oggetti. Molti di noi fingono di non accorgersi che il mondo è cambiato: dopo l'avvento del digitale, negli uffici occorrono meno mobili e meno armadi, meno oggetti e meno raccoglitori. I luoghi sono al servizio delle persone; ma perché possano rendersi utili, bisogna adattarli a noi. Quante volte ci è capitato di pensare, visitando un ufficio: «Qui non lavorerei mai!». Eppure qualcuno è costretto a farlo. Ogni giorno s'incammina verso la propria stanza come un condannato verso una prigione. È sorprendente che quell'infelicità generi prodotti infelici? Non siamo tutti Silvio Pellico.

L'architetto Michele De Lucchi, in una intervista a Micol Sarfatti, dice una cosa interessante: «Con i collaboratori del mio studio stiamo lavorando sui luoghi di lavoro. Sono gli ambienti che si evolvono più rapidamente perché il modo di lavorare sta cambiando. […] Le idee sono il bene più prezioso che abbiamo. La creatività è la più grande forza che il cervello umano abbia a disposizione contro l'Intelligenza Artificiale. Che straordinario computer si potrebbe creare con l'unione di tutte le menti positive in circolazione».

Ricordate quello che ho scritto a proposito dell'«Economist»? È un generatore di idee. Avviene nella redazione di Londra (un luogo fisico), tra i giornalisti sparsi per il mondo (un luogo intellettuale), tra i lettori (una comunità virtuale). La chiave è l'affinità tra le persone. Se lavorano nello stesso posto, conta il piacere che provano a passare tempo insieme, rendendosi reciprocamente utili. Ricordo il periodo passato al MIT (Massachusetts Institute of Technology), su invito dell'architetto Carlo Ratti. Studenti e docenti si riunivano, con un caffè davanti, in luoghi improbabili: angoli, slarghi, anfratti, nicchie, divani lasciati in corridoio. Poi ho capito: gli spazi irregolari erano funzionali agli incontri casuali. Quelli che producono le idee originali.

Molte aziende pensano di organizzare la creatività come si organizza una mensa. Non funziona così. La creatività si facilita, non si comanda. Bisogna produrre le condizioni; e il risultato non è mai certo. La creatività non è un concetto lineare, è imprevedibile come il tempo atmosferico. Non si può ordinare il vento, né una giornata di sole. Si può però cercare di essere pronti, al bel tempo e alla pioggia, cercando di tirar fuori il meglio dall'uno e dall'altra. Quando parliamo di bei luoghi dove lavorare, intendiamo questo: ambienti che facilitino la fecondazione assistita delle buone idee. Il genio è quasi sempre la risposta a una sfida – e a una sfida si risponde meglio insieme. Ci si aiuta a vicenda, ci si rassicura, ci si sostiene nei momenti di difficoltà. Pensate a quanto è accaduto tra i dissidenti durante le dittature comuniste europee; o agli esordi avventurosi della Silicon Valley. Le persone intelligenti collaborano. Il genio non è una sottrazione, come credono i furbi e gli egoisti. Non è un'addizione, come ritengono i semplicisti. Il genio è una moltiplicazione.

2. Mescolare fa bene

Eric Weiner, in *La geografia del genio*, prova a rispondere a questa domanda: perché alcuni luoghi nella storia hanno prodotto tante idee in poco tempo? Cicli brevi (venti-trent'anni), spesso legati a posti relativamente piccoli. Pensate a Firenze. Il 25 gennaio 1504 – era un giovedì, se a qualcuno interessa – nella stessa stanza sedevano Leonardo da Vinci, Michelangelo Buonarroti, Sandro Botticelli, Filippo Lippi e altri di quel calibro: dovevano scegliere un luogo «conveniente e ardito» dove esporre il *David* di Michelangelo, che i fiorentini chiamavano «il gigante» (*sorry*, Matteo Renzi, non sei tu).

Perché Firenze? Venezia aveva un porto, e una popolazione tre volte superiore; Milano era più potente, Roma più antica e gloriosa. La risposta, forse, sta in una frase di Platone: «Ciò che è onorato in un Paese, vi sarà coltivato». Firenze onorava l'arte e i commerci, che servivano a pagarla. Il fiorino fu la prima, vera moneta internazionale. «Soldi e genio sono quasi sempre collegati, inseparabili come giovani amanti» scrive Weiner. Firenze ha avuto il Rinascimento anche perché poteva permetterselo. E perché aveva considerazione dell'invenzione, della bellezza e dell'arte. Chi voleva coltivare queste cose, veniva incoraggiato, fin da giovanissimo.

Se pensate ad altri luoghi del genio, la storia è simile. Vienna, due volte, a distanza di un secolo: intorno al 1800 (gli anni di Wolfgang Amadeus Mozart, Ludwig van Beethoven, Franz Joseph Haydn, Franz Schubert) e all'inizio del 1900 (il tempo di Sigmund Freud, Ludwig Wittgenstein, Gustav Klimt, Arthur Schnitzler, Stephan Zweig, Gustav Mahler). Parigi negli anni Venti del Novecento (Francis Scott Fitzgerald con la moglie Zelda, il compositore Cole Porter, il giovane Ernest Hemingway, Salvador Dalí, il regista Luis Buñuel, Pablo Picasso, Man Ray). Non vale solo per l'arte: vale per l'industria (l'Italia settentrionale negli anni Sessanta del Novecento), per la comunicazione e la pubblicità (Londra e New York nello stesso periodo), per la tecnologia (il Giappone negli anni Ottanta, la Silicon Valley a cavallo del secolo). «La creatività è un rapporto che si sviluppa all'incrocio tra le persone e i luoghi» conclude Weiner. L'abilità è trovare quel luogo; e, se non c'è, provare a crearlo. Non si tratta soltanto di un luogo fisico, ma di una miscela umana. La differenza di età, per cominciare: un trentenne intuisce qualcosa che a un sessantenne sfugge, e viceversa. La differenza di sesso. La varietà etnica e sociale. La molteplicità delle competenze. Steve Jobs non si limitava a reclutare i migliori *computer scientists*, nei gruppi di lavoro di Apple: inseriva un esperto di scienze naturali, uno studioso in scienze umane, una persona che avesse senso artistico e un'altra che avesse studiato diritto: un giurista o un avvocato (non più di uno!).

L'importante è che le persone diverse imparino a lavorare insieme, consapevoli di essere complementari. E amino farlo: la collaborazione dev'essere un piacere, non uno sforzo. Quando gli è stato chiesto il segreto del suo successo, il fondatore di WhatsApp, Brian Acton, ha risposto: «Ho sempre lavorato con gente gradevole». Mio nonno Giuseppe – agricoltore a Offanengo, vicino a Crema – sosteneva la stessa cosa. Non ha inventato un popolare sistema di messaggistica, ma, con l'aiuto di mia nonna Giovanna, ha dato alloggio e lavoro a tante famiglie in anni difficili, dentro la stessa cascina, creando una comunità. Il genio non si classifica: si ammira.

3. Volpi e ricci sono complementari

«C'è un verso tra i frammenti del poeta greco Archiloco che dice: "La volpe sa molte cose, ma il riccio ne sa una grande". Gli studiosi sono divisi sull'interpretazione di queste parole oscure, che possono voler dire semplicemente questo: la volpe, con tutta la sua astuzia, è sconfitta dall'unica difesa del riccio. Ma, in modo figurativo, le parole sembrano indicare una delle più profonde differenze che dividono scrittori e pensatori e, forse, gli esseri umani in genere.»

Inizia così il celebre saggio di Isaiah Berlin, *Il riccio e la volpe*, scritto nel 1953 e rivisto nel 1978. Il pensatore, nato a Riga (Lettonia), ha finito per identificarsi con Oxford, dove ha esercitato il suo genio e la sua intuizione. Il frammento misterioso di Archiloco gli è servito per ragionare sulle grandi menti del passato. I ricci – scrive – sono centripeti: «Riportano tutto a un sistema, più o meno coerente o articolato, attraverso il quale capiscono, pensano e sentono». Le volpi vivono, agiscono e ragionano in modo centrifugo. «Il loro pensiero è disperso e diffuso, si muove su diversi livelli. Sfrutta l'essenza di una grande varietà di esperienze senza forzarle in una visione immutabile, onnicomprensiva, contraddittoria e talvolta incompleta, occasionalmente fanatica».

Secondo Isaiah Berlin, Dante era un riccio; Shakespeare, una volpe. Platone, Lucrezio, Pascal, Hegel, Dostoevskij, Nietzsche, Ibsen e Proust erano, in grado diverso, ricci. Erodoto, Aristotele, Montaigne, Erasmo, Molière, Goethe, Puškin, Balzac e Joyce erano volpi. Gioco affascinante, che possiamo continuare. Domanda: chi sono, fra i vostri conoscenti, i ricci e le volpi? E voi cosa siete? Un riccio che frequenta le volpi, una volpe che ama i ricci, o magari un riccio sposato a un altro riccio, con cui ha passato decenni nella stessa casa, aculei contro aculei?

Personalmente, non ho dubbi. Sono una volpe, ma so di aver bisogno dei ricci: mi insegnano la disciplina, mi evitano distrazioni eccessive. Credo che ogni formazione umana – la coppia, la famiglia, la squadra, il gruppo di lavoro – abbia bisogno della combinazione di questi elementi: la fantasia e l'agilità della volpe, la precisione e la stabilità del riccio. Tanti ricci, insieme, diventano prevedibili, talvolta ossessivi; le volpi, da sole, rischiano di essere dispersive e inconcludenti.

Con il tempo e l'esperienza – sono una volpe argentata, ormai – scopro che talvolta è impegnativo trattare con certi ricci. Davanti alle novità si chiudono a palla: puoi proporgli cose splendide; loro, niente. Tu li spingi all'innovazione e loro suggeriscono ripetizione: la trovano rassicurante. Tu insisti? Buttano fuori i cinquemila aculei, e aspettano. Gli aculei – lo dice la zoologia, lo conferma la psicologia – sono utili anche in caso di caduta. Attutiscono il colpo.

Per fortuna, i ricci intorno a me hanno tutte le qualità della specie, e nessuno dei difetti. Ho una moglie-riccio: Ortensia sa sempre quando frenarmi e quando incoraggiarmi. Un riccio è anche la mia agente letteraria, Rosaria Carpinelli: è precisa e non perde mai di vista l'obiettivo. Un riccio è il direttore del «Corriere della Sera», Luciano Fontana, come Ferruccio de Bortoli prima di lui (Paolo Mieli era una volpe). Un riccio è Carlo Verdelli, che del «Corriere» è stato vicedirettore, con cui ho lavorato bene e inventato qualcosa. Un altro riccio, affidabile e costruttivo, è Edoardo Vigna, citato poco fa. Ricci sono Daniel Franklin e Bill Emmott, che mi hanno accompagnato nell'avventura dell'«Economist».

Sono una volpe fortunata, non c'è che dire.

4. Meno è meglio

Ogni ufficio conosce le tendenze del capoufficio. Si dividono in tre grandi categorie: materne, montessoriane, mussoliniane. Io m'iscrivo tra i montessoriani. Credo, come ho detto, nell'anarchia rispettosa: funziona anche in una redazione. Penso che chi dirige – un giornale, un ufficio, un'azienda, un'organizzazione – debba insegnare qualcosa. Altrimenti, che ci sta a fare? Solo a impostare progetti, risolvere problemi, rispondere al telefono e gestire epidemie di mail inutili?

Ovviamente ognuno deve insegnare quello che sa. Se io provassi a spiegare ai miei redattori come usare il sistema editoriale – Méthode!, sembra il nome di una località sciistica francese – riderebbero di gusto. Quindi, mi astengo. Sull'organizzazione del lavoro, sull'ideazione e sulla scrittura, però, qualcosa da dire ce l'avrei. E, ovviamente, lo dico.

È una cosa breve. Tre parole, undici caratteri: «Meno è meglio».

Per esempio: la riunione migliore è quella che non si fa. Quando sono necessarie – e talvolta lo sono – le riunioni devono essere brevi. Ma bisogna arrivare preparati; e nel tempo in cui si sta insieme occorre concentrarsi. Vietato guardare il telefono, un gesto che per molti è diventato un tic nervoso. Chi ci casca, in redazione, deve infilare un euro dentro un salvadanaio lilla a forma di porcellino. Le monete, all'interno, aumentano e tintinnano felici. Una brava redattrice, se va avanti così, dovrà accendere un mutuo ipotecario. Ma è una persona intelligente, e capirà. Anzi, ha già capito (anche se ogni tanto ci ricasca).

«Meno è meglio» è una regola infallibile anche nella scrittura. Nei titoli, nei sommari, nelle didascalie, nei testi: tutto quello che non è indispensabile diventa dannoso. Non inutile, non superfluo, non pleonastico: proprio dannoso. Perché rallenta, complica, confonde, affatica.

Mi piace ragionare con i miei redattori sulla scrittura. Mi piace lavorare con loro sui pezzi, e spiegare che, quasi sempre, la necessità è una sola: togliere. Scrivere è come scolpire: occorre levare, non aggiungere. Dev'essere un processo gioioso, non penoso. È entusiasmante vedere il testo che prende il volo, appena lo liberiamo dalla zavorra (secondarie implicite, aggettivi e avverbi inutili, ripetizioni, due «che» nella stessa frase). Le quattro giovani colleghe arrivate con me a 7 – Stefania Chiale, Micol Sarfatti, Irene Soave, Chiara Severgnini – in diciotto mesi hanno cambiato modo di scrivere. I periodi corrono, le immagini escono lucide dalle frasi. Erano brave, ora sono tra le migliori nuove firme in circolazione. E sono cresciute insieme: per un direttore, una gioia aggiuntiva.

Infine, c'è il conflitto d'interessi, un argomento colpevolmente trascurato in molte redazioni italiane (o addirittura incoraggiato, come un reddito supplementare ufficioso). A 7 non abbiamo avuto problemi; e poiché spero di non averne in futuro, ho spiegato subito come la penso. La stesura di cavillosi regolamenti interni è inutile. Una regola basta: non fate nulla che vi metterebbe in imbarazzo davanti ai lettori e ai colleghi.

Quattordici parole.
Meno è meglio.

5. Viva il dissenso

Sono entrato in redazione con un mazzo di palette rosse e verdi, e le ho distribuite. Paletta verde: approvazione. Paletta rossa: disapprovazione. La bella, sana disapprovazione che in Italia è quasi scomparsa: sporcata dall'insulto o nascosta nella cautela. Quante migliaia di volte avete sentito dire: «Sono d'accordo, ma...»? Al lavoro, a scuola, tra amici, in famiglia, in televisione. È un'espressione che detesto. Se la pensi diversamente, dillo! Un po' di coraggio, cribbio! (Mi piace l'espressione «cribbio», molto meglio di «sono d'accordo, ma...».)

State pensando: ma come? Ci sta dicendo che la redazione di 7 non ha il coraggio delle proprie opinioni? No: il coraggio ce l'ha. Le ho solo fornito un modo per esprimerle. È importante, infatti, conoscere le idee delle persone con cui si lavora; soprattutto se sono diverse dalle nostre. Certo, la passione per la discussione può portare a qualche eccesso. C'è chi trasforma una riunione in un evento teatrale e l'ufficio in un palcoscenico. Non è il nostro caso, per fortuna. Ma occorre essere vigili. Le cattive abitudini sono facili da prendere e difficili da abbandonare, come sanno i bevitori, i giocatori e certi mariti.

Torniamo alle palette verdi e rosse. Le ho portate in redazione per gioco: mai avrei immaginato tanto successo. Sono diventate semafori, cartelli e bandiere (sopra il tavolo bianco). Chi non le ha ricevute – perché quel giorno era assente – le ha pretese. Qualcuno ci ha attaccato sopra un Post-it con scritto «Forse» (vietato! Potrebbe essere l'inizio di un dibattito da tenere in altra sede). Un giorno

– lo sento – troverò qualcuno in piedi sulla scrivania che dirige il traffico.

Devo ammetterlo, con una punta d'orgoglio: obiettivo raggiunto. La redazione di 7 può approvare quello che suggerisco o disapprovarlo: basta un gesto.

Tanto poi c'è la bandiera sovietica, no?

6. Fuori dalle scatole!

«Fuori dalle scatole!» non sembra un invito gentile. «Fuori dalla scatola!» può diventarlo. Dirò di più: pensare *outside the box* è un buon modo di organizzarsi la vita. Come? Disorganizzandola ogni tanto.

È sorprendente quanto sia diffusa la paura della novità, nel mondo del lavoro; e quanto sia giudicata rassicurante la conservazione. Le idee insolite sorprendono; e quasi sempre, almeno all'inizio, generano disagio. Ma è dalle idee non convenzionali – quelle fuori dagli schemi – che nascono le soluzioni originali; e, magari, le invenzioni. Un buon docente, un bravo capoufficio e un genitore responsabile hanno un dovere: insegnare a non aver paura delle proprie idee, per quanto insolite.

Troppo filosofico? Pratico, invece. Il pensiero non convenzionale si può imparare e si può insegnare: alla redazione e, perché no?, ai lettori. Non attraverso regole – che non ci sono, per definizione – ma con l'incoraggiamento. Quando Stefano Rodi, redattore esperto e di buona scrittura, ha confessato di odiare le discoteche, gli ho chiesto di trascorrere quarantott'ore nei locali di Ibiza. All'inizio era sbalordito, e non ne voleva sapere; poi è andato ed è tornato con un pezzo magistrale.

Dobbiamo rischiare, anche nel nostro mestiere. Il momento – ce ne renderemo conto tra qualche tempo – è speciale. Abbiamo davanti un'occasione di quelle che càpitano ogni molti anni: domare una tecnologia rivoluzionaria dell'informazione. È successo con l'invenzione della stampa a caratteri mobili, con la diffusione dei primi fogli di notizie, con l'introduzione della radio, con l'arrivo della televisione. Internet è la quinta ondata.

Dobbiamo imparare a cavalcarla, o finiremo travolti. Ogni due giorni l'umanità genera una quantità di informazioni pari a quella creata dall'inizio della civiltà a oggi. Nel mondo esistono 2,5 miliardi di account social. Un essere umano su tre può produrre, distribuire e condividere testi, audio e video con un pubblico potenzialmente illimitato. L'oligopolio dei giornalisti è finito. Ma la mole di informazioni in circolazione non rende inutile il nostro lavoro. Lo rende, invece, indispensabile.

Informare, oggi, vuol dire capire, selezionare, sintetizzare, spiegare in modo professionale il mondo che corre. Ci torneremo nel prossimo capitolo: il compito di noi giornalisti – se vogliamo continuare a esistere – è unire i puntini di un disegno sempre più confuso. Sembra un compito banale: invece è fondamentale.

7. *La leggerezza non è superficialità*

Big Mouth Billy Bass. Persico trota, detto anche boccalone. Pesce d'acqua dolce (infatti canta *Take Me to the River*, portami al fiume). Il motivo per cui sta davanti alla mia scrivania, e mi guarda, ha bisogno di qualche spiegazione in più. Billy, pesce canterino, è un regalo di Jeff Bezos. L'ho intervistato per la prima volta nel 2000, insieme a Diego Piacentini, a Seattle, quando il quartier generale di Amazon era nell'ex ospedale svedese sulla collina. Alla fine dell'incontro, segnato da alcuni momenti indimenticabili (Bezos possiede una risata in grado di fermare uno stormo d'anatre in volo), il papà dell'e-commerce mondiale – secondo alcune stime, l'uomo più ricco del mondo – mi ha scritto una dedica su un libro: «*Beppe, customers rule!*», i clienti comandano! Poi mi ha consegnato un regalo: Big Mouth Billy Bass. «È il prodotto che vendiamo di più, il nostro portafortuna.»

Da allora l'amico ittico mi segue: dove scrivo e lavoro, lui c'è. È sensibile al movimento: se gli passate davanti, lui inizia a cantare. Conosce due canzoni. *Take Me to the River* e *Don't Worry, Be Happy*. La prima richiesta la ignoro: al fiume non ce lo porto, nell'acqua non ce lo metto (pensa alle batterie, Billy!). Il secondo suggerimento, invece, mi trova d'accordo: «Non preoccuparti, sii felice» è un consiglio tutt'altro che scontato (non solo perché Big Mouth Billy Bass aggiunge «Uh Uh Uh Uh / Uh Uh Uh Uh!»).

Non è possibile essere sempre sereni, nei luoghi di lavoro. Ma è importante provarci. L'impressione, invece, è che qualcuno non faccia neppure lo sforzo. Tre caffè, un po' di accidia, una sigaretta: e la giornata passa. Ma diventa lunga, per sé e per gli altri. Ogni luogo di lavoro ospita un personaggio del genere. Non bisogna emarginarlo, né ignorarlo: bisogna cercare di coinvolgerlo e recuperarlo.

Come ho scritto nel primo numero che ho firmato e ho ripetuto qualche pagina fa: quella di 7 è una redazione felice perché quasi tutti provano a non mostrarsi infelici. Anche quando sono affaticati, preoccupati, perplessi; e succede.

Perché racconto tutto questo? Perché ho dedicato un capitolo alla prima (e ultima?) direzione della mia vita? Perché sono convinto che lo spirito che soffia nel nostro giornale sia sano e produttivo; e si possa trasportare in qualsiasi posto di lavoro. Nonostante le difficoltà, nonostante la fatica, nonostante i dubbi, bisogna stringere i denti, tirare avanti e tenere alto il morale: proprio e degli altri.

Don't worry, be happy.
Big Mouth Billy Bass, diglielo tu.

11
Ricordate Willy il Coyote?

Un aperitivo in America

«Bello vedere qualcuno con un giornale in mano!» Massimo Gaggi, l'uomo del «Corriere» a New York, mi saluta così, entrando nel bar dell'albergo dove ci siamo dati appuntamento per un aperitivo. Agli americani piacciono le luci della sera riflesse nei bicchieri: il cocktail è il loro armistizio col mondo. I giornali di carta, ultimamente, attirano meno. Nei primi cinque giorni di viaggio in America – Boston, Chicago, New York – non ho visto una persona con un quotidiano in mano. Non sto esagerando: nemmeno una. Negli aeroporti, nelle stazioni, sui treni della metropolitana e dentro i bar: tutti con lo smartphone, molti con gli auricolari. Ogni tanto, come un fiore nel deserto, una rivista o un libro di carta.

Per chi ama i giornali e ci ha passato la vita, non è un bello spettacolo. Dobbiamo rassegnarci all'estinzione? Nemmeno per sogno. Ma la sfida è enorme, ed è bene sapere quali sono gli avversari.

Tutte quelle persone con gli smartphone, negli USA leggevano/guardavano l'edizione digitale di «The Boston Globe», «Chicago Tribune» e «The New York Times»? Mi piacerebbe pensarlo, ma temo non sia così. È vero, però, che i grandi quotidiani americani sono usciti dalla palude che sembrava volerli inghiottire.

Nel secondo trimestre del 2018 «The New York Times» ha aggiunto 109.000 abbonati esclusivamente digitali, un aumento del 20 per cento rispetto allo stesso periodo del 2017, e ha portato il numero dei *digital-only subscribers* a 2,9 milioni (su un totale di 3,8 milioni di abbonati). Questo aumento ha coinciso con una crescita dei ricavi – 99 milioni di dollari dagli abbonati digitali nel trimestre, che ha visto ricavi totali per 415 milioni – e ha compensato il declino nel *print advertising*, la pubblicità su carta (-11,5 per cento), e della pubblicità online (-7,5 per cento). Certo l'effetto Trump – *Trump Bump*, dicono in America – ha contribuito. Ma non spiega tutto.

Anche «The Washington Post» – una cinquantina di premi Pulitzer, fondato nel 1877, un anno dopo il «Corriere della Sera» – gode oggi di buona salute. Cinque anni fa agonizzava. La cura di Jeff Bezos, che l'ha acquistato per 250 milioni di dollari nel 2013, sta funzionando. Il fondatore di Amazon ha spiegato che la sua non è «una iniziativa benefica» e «un giornale indipendente e in salute deve essere autosufficiente». Ma ha aggiunto una cosa importante: «Non si può diventare grandi restringendosi». Perciò ha assunto cento nuovi reporter e *editors*, soprattutto giornalisti d'inchiesta e videoreporter. Gli abbonamenti digitali, nel corso del 2017, sono raddoppiati, e oggi superano abbondantemente il milione (il film di Steven Spielberg, *The Post*, ha contribuito!).

Se la tendenza venisse confermata, i due grandi quotidiani presto potrebbero fare a meno della pubblicità che, in dieci anni, è crollata. Anche la circolazione delle copie di carta, nello stesso periodo, è dimezzata. «Dentro il "New York Times" e il "Washington Post"» ha scritto James C. Warren su «Vanity Fair» «si parla ormai di un mondo senza *print editions*, edizioni di carta.» A Torino, nell'estate 2017, durante l'incontro *The Future of Newspapers*, organizzato per i centocinquant'anni della «Stampa», Jeff Bezos è stato radicale: «I giornali di carta resisteranno. Certo, sono destinati a diventare esotici. Un po' come avere un cavallo. Non si tiene per il trasporto, ma perché è bellissimo. Arriverà qualcuno, vedrà un giornale di carta e dirà: "Wow! Posso provarlo?"».

Eccessivo? Forse sì. I cavalli saranno numerosi, anche in futuro, se gli troveremo un ruolo. Ma saranno cavalli da corsa e non da tiro, questo è sicuro. Il rumore del trattore lo abbiamo avvertito, ormai: a trainare il carro dell'informazione quotidiana saranno le macchine. Nel nostro caso, gli abbonamenti digitali.

Certo, in America è più facile. Gli USA funzionano in inglese e l'inglese è lo strumento di comunicazione del mondo: parlato da 370 milioni di persone come prima lingua, da 600 milioni come seconda lingua, altri 500 milioni lo leggono e lo capiscono. L'italiano è la prima lingua di 63 milioni di persone, la seconda lingua per 4 milioni, altrettante lo capiscono. Sebbene ci sia da imparare dai media di lingua inglese – vedremo cosa – certe strategie sono, per noi, impossibili. L'espansione del «New York Times» e del «Washington Post» – ma anche dell'«Economist» (1,4 milioni di abbonati), «Wall Street Journal» (1,3 milioni), «Financial Times» (900.000) – è certamente aiutata dalla lingua, e potrebbe continuare. L'amministratore delegato del «New York Times», Mark Thompson, è stato chiaro: «Puntiamo a 10 milioni di abbonati nel mondo. Ce la possiamo fare. Gente istruita, che sa l'inglese, ce n'è».

Anche in Italia, negli ultimi dieci anni, la circolazione dei quotidiani è dimezzata: da 5,4 milioni di copie a 2,8 milioni di copie al giorno. Lo dicono i dati di vendita, lo conferma l'osservazione. La metropolitana di Milano somiglia al *subway* di Manhattan o alla sopraelevata di Chicago: giornali in vista, ben pochi.

Ecco perché anche noi dovremmo intensificare gli sforzi per moltiplicare gli abbonamenti digitali. Accesso con computer, tablet e smartphone; acquisto rapido e semplice; prezzo ragionevole (ma non simbolico); e, ovviamente, contenuti di qualità. Le notizie eccentriche e i video divertenti li troviamo ovunque; per l'informazione affidabile abbiamo bisogno di un giornale (con la sua reputazione, la sua organizzazione, i suoi professionisti). Davanti a un evento importante o imprevisto vogliamo sapere, capire, valutare; e siamo disposti a pagare qualcosa per questo servizio. Non dopo dodici ore: subito.

Sarà meno facile, temo, aumentare la diffusione delle cosiddette edizioni digitali (il giornale in pdf). Un quotidiano è un menù completo: antipasto, primo, secondo, frutta, dolce, caffè. I ragazzi di oggi – i lettori di domani – sono interessati al menù? O preferiscono assaggiare qualcosa quando càpita? La generazione nata dopo il 1990 sarà disposta a delegare ad altri la costruzione di un palinsesto di notizie, servizi e commenti, ordinato gerarchicamente e tematicamente? O preferirà il servizio a domicilio di Google e Facebook, capace di leggere inclinazioni, gusti e idiosincrasie?

Confesso: ho un po' paura della risposta. Ma la domanda dobbiamo farcela.

Cento anni di notizie

Nel 1918 i giornali non avevano concorrenza. Le notizie di quell'anno – la guerra mondiale che finiva, la rivoluzione sovietica appena iniziata – passavano per la carta stampata.

Nel 1938 – dittature che impazzivano, un'altra guerra mondiale in arrivo – era già arrivata la radio. Ma i quotidiani, in Italia e non solo, rimanevano fondamentali. Non a caso, il regime fascista li teneva sotto stretto controllo.

Nel 1958 spopolava la televisione pubblica. Indro Montanelli («Corriere della Sera») era influente, ma Mike Bongiorno (*Lascia o raddoppia?*) era più conosciuto.

Nel 1978 si diffondevano le cosiddette «radio libere». Per raccontare quanto accadeva in Italia bastavano due microfoni, un amplificatore e qualche antenna.

Nel 1988 andava forte la televisione privata, con i suoi programmi e i suoi telegiornali, e qualcosa nei quotidiani ha cominciato a scricchiolare. Allearsi con la tv o ignorarla?

Nel 1998 usavamo i cellulari e i primi, rudimentali, collegamenti internet (doppino telefonico, modem sfrigolante). Nuovi strumenti riempivano le nostre giornate. Il tempo per leggere i giornali cominciava a diminuire.

Nel 2008 c'erano i social, il 3G (banda larga mobile) e il Wi-Fi. Iniziava l'Età della Condivisione e dell'Esagerazione.

Nel 2018 l'abbiamo capito. Nella battaglia quotidiana per il nostro tempo limitato – leggete *Attenzione!* di Beniamino Pagliaro – i giornali combattono con il fioretto, i social usano il bazooka. Dovremo essere bravi, agili e coraggiosi: e potrebbe non bastare.

Questa brevissima storia dell'informazione – cent'anni passano in fretta – ci fornisce un'attenuante: era inevitabile che i quotidiani incontrassero difficoltà. L'idea iniziale di offrirsi gratuitamente online, imitando il modello radiotelevisivo, non ha funzionato. Anche perché i ricavi pubblicitari della rete non sono paragonabili a quelli della televisione; e sono inferiori a quelli della stampa. Non solo: la pubblicità online è dominata da Google e Facebook, che assorbono due terzi del mercato. Le aspettative, da qualche tempo, sono riposte nei video. Ma non è facile ottenere grandi numeri senza rinunciare alla qualità giornalistica. Un sito americano destinato ai nativi digitali – Mic.com – ha deciso un cambio di strategia (*pivoting* è il nome in codice): ha lasciato a casa venticinque giornalisti e puntato sui video virali. Gli utenti unici mensili sono crollati: da 21 milioni a 6 milioni in diciotto mesi. Mic.com sostiene che le visite sul sito sono meno importanti del contenuto, distribuito principalmente sui social. L'impressione è che abbia compiuto un passo nella direzione sbagliata.

Un'altra tentazione è concedere agli investitori pubblicitari sempre di più: anche quello che non dovrebbero pretendere. Etichette come *native advertising* e *advertorial* nascondono formule insidiose, in cui l'utente viene indotto a credere che un messaggio promozionale sia un prodotto giornalistico. Se Volvo Italia diventa partner del «Corriere della Sera» nel *Lunghissimo Lungomare* l'operazione è trasparente e legittima: quell'auto è il filo rosso del racconto (e settemila chilometri a piedi non li potevamo fare). Se però Volvo ci chiedesse di presentare i video della casa come prodotti del «Corriere», e noi accettassimo, inganneremmo i lettori/gli utenti. A scanso di equivoci: Volvo s'è ben guardata dal chiederci una cosa del genere.

Ci sono anche formule meno sofisticate, e purtroppo diffuse. Un inserzionista acquista un certo numero di spazi pubblicitari e, dietro le quinte, contratta una favorevole copertura redazionale (l'intervista con l'amministratore delegato, il servizio illustrato sui nuovi prodotti). Ma così facendo, mentre cerca di comprometterla, dimostra di dare valore alla neutralità giornalistica: un commento, un'intervista o un articolo vengono considerati credibili e convincenti. A questa pressione le testate migliori devono resistere, sapendo quali sono le conseguenze della resa. In un primo momento, ricavi superiori. Ma è un'illusione, cui seguono due delusioni.

La prima: appena l'utente s'accorge che sta pagando per un contenuto pubblicitario, smetterà di acquistarlo. Pretenderà di averlo gratuitamente, e non avrebbe torto.

La seconda: una testata, come ogni marchio, dipende dalla reputazione. Perduta quella, è persa la partita.

Utilità e sopravvivenza

Lo abbiamo visto: in America – grazie agli abbonati digitali, alla lingua inglese e a Donald Trump – è partita la riscossa. In Europa, non ancora. In Italia, tra il 2017 e il 2018, la circolazione dei quotidiani – carta e digitale – è diminuita quasi del 10 per cento. In Francia è scesa del 6 per cento, in Germania del 9 per cento e nel Regno Unito del 12 per cento. L'India, invece, sorride: negli ultimi dieci anni la media di vendita giornaliera dei quotidiani è passata da 39 a 62 milioni di copie. Non possiamo trasferirci in India, ovviamente. Per resistere e reagire – altre industrie hanno conosciuto momenti difficili e li hanno superati – dobbiamo essere onesti con noi stessi, non farci illusioni e rispondere a una domanda. Questa: perché qualcuno, tra dieci anni, dovrebbe leggere un quotidiano? Quale sarà la motivazione all'acquisto?

La risposta è semplice: l'utilità.

I quotidiani resisteranno se troveranno il modo di rendersi utili. «Utile» è un aggettivo impegnativo e vasto, perché ne comprende altri. Si può diventare utili informando, avvertendo, anticipando, rivelando, spiegando, sintetizzando, illustrando, sovvertendo, rassicurando, coinvolgendo, consolando, sorprendendo; anche divertendo, emozionando e insegnando («The New York Times» riceve donazioni per regalare abbonamenti digitali agli studenti delle scuole superiori). Se ne saranno capaci, i quotidiani sopravviveranno e chissà: forse li aspetta una nuova, brillante stagione. Se non ne saranno capaci, prima diventeranno goffi veicoli pubblicitari; poi chiuderanno, uno dopo l'altro. Non sarà l'apocalisse dell'informazione: sarà la fine di un modo di organizzarla e distribuirla.

Ecco: se riuscissimo a impedirlo, sarebbe meglio. Chi dice che giornali e giornalisti non servono a nulla – o, peggio, fanno schifo e sono nemici della gente – ha un progetto preciso: togliersi dai piedi gli ultimi critici, e poi fare quello che vuole.

I giornalisti della mia generazione – quelli che hanno conosciuto la macchina da scrivere, che ricordano l'arrivo dei computer in redazione, che hanno fatto gli inviati e i corrispondenti, che hanno avuto presto contratti a tempo indeterminato e hanno potuto fare progetti di vita – sono gli ultimi rappresentanti di un mestiere? Faremo la fine dei linotipisti? Un computer svolgerà il lavoro per noi, oppure noi lavoreremo per un computer? Il sogno di molti editori, in giro per il mondo, è una centrifuga in grado di frullare l'informazione e produrre un succo a buon mercato.

Perché, allora, tanti ragazzi continuano a chiedere come si diventa giornalista? Perché aumentano le domande d'iscrizione alle scuole di giornalismo? Delle due, l'una: o sono pazzi o vedono più lontano di noi.

Proviamo a semplificare. Come ha fatto il giornalismo a resistere fino a oggi? Ha fornito un valore: informazione, interpretazione, intrattenimento. Perché queste cose, oggi, hanno meno mercato? Per un motivo, sostanzialmente: all'offerta gratuita di radio e televisione, s'è aggiunta quella – immensa – di internet. Molte persone s'accontentano di leggere un titolo, di guardare una fotografia o di ascoltare distrattamente un notiziario. «In Siria, visto che casino?» Fine conversazione.

Lo smartphone – lo abbiamo visto – ha conquistato i luoghi dove si leggeva il quotidiano: il treno, il bar, la sala d'aspetto. Quel piccolo schermo ci mette al centro della narrazione. I giornali oggi non si battono contro altri media, ma contro la scarsità di tempo libero, la pretesa di autosufficienza, l'egocentrismo incoraggiato dagli algoritmi, che capiscono le nostre debolezze e ne approfittano. Siamo innamorati di noi stessi, e non vogliamo rivali o distrazioni.

Eppure l'informazione resta fondamentale, anche se richiede un po' d'impegno. Chi sa, fa. Chi non sa, prova (in affari, in società, perfino in amore).

Chi intende vendervi qualcosa – un'idea politica, per esempio – non vuole che siate informati: vi preferisce ignoranti e ansiosi, pronti a spendere o a votare in cerca di consolazione e rivalsa. Voi non dovete lasciarvi ingannare; e noi giornalisti dobbiamo riuscire a produrre un'informazione rilevante per la vostra vita.

Se non ne saremo capaci, il nostro mestiere è finito. A noi verrà chiesto di alimentare la centrifuga, per pochi soldi e senza fare domande. A voi verrà imposto di buttar giù quel succo, senza protestare.

Il giornalista è un mestiere

Facebook ha acquistato pagine sui quotidiani per spiegare come riconoscere le notizie false (*fake news*). Al di là dei ringraziamenti – gli inserzionisti sono sempre graditi – vien voglia di tentare un piccolo ragionamento. Quali sono i consigli di Facebook? Questi:

1) Non ti fidare dei titoli.
2) Guarda bene l'URL.
3) Fai ricerche sulla fonte.
4) Fai attenzione alla formattazione.
5) Fai attenzione alle foto.
6) Controlla le date.
7) Verifica le testimonianze.
8) Controlla se altre fonti hanno riportato la stessa notizia.
9) La notizia potrebbe essere uno scherzo.
10) Alcune notizie sono intenzionalmente false.

L'iniziativa è da applaudire. La diffusione intenzionale di notizie false è un rischio per la democrazia. I minimizzatori – alcuni con dolo, altri per ingenuità – dicono: «Non dobbiamo preoccuparci, i tentativi di condizionare gli elettori sono vecchi come il mondo!». Dimenticano che oggi gli strumenti sono più potenti, la diffusione più rapida, i malintenzionati più abili. Una falsità può diventare virale in poche ore.

È ormai evidente, per esempio, che qualcuno sta

provando a disturbare il processo democratico in Occidente. È accaduto nel 2016 nel Regno Unito (referendum su Brexit), e negli USA (elezioni presidenziali); tentativi sono stati fatti anche in Francia, in Germania e in Italia. Non sono stati interventi goliardici, come vogliono farci credere; ma operazioni su vasta scala, accuratamente pianificate. Si chiama disinformazione (*desinformazija*). «Certe cose non cambiano» avrebbe scritto Alberto Ronchey.

Torniamo a noi. Ha fatto bene, Facebook, ad alzare il livello di attenzione? Certamente. Ma provate a rileggere quei dieci suggerimenti: sono le regole professionali dei giornalisti. Chi fa il nostro mestiere sa che occorre controllare le date, prestare attenzione alle foto, verificare le testimonianze, cercare una conferma attraverso una seconda fonte. Per fare tutte queste cose non bastano un po' di buon senso, un telefono e una connessione 4G. Occorre preparazione professionale. E tempo. Parecchio tempo.

Credetemi: noi giornalisti non (ri)vogliamo il monopolio dell'informazione. È evidente da almeno vent'anni che quell'epoca è finita, e i media non possono vivere di rendita. Un commento, un'inchiesta, un reportage, una rivelazione o una rilevazione, il collegamento tra le notizie, un servizio fotografico: tutto deve essere professionale, per meritare la vostra attenzione (e i vostri soldi). Se chiunque potesse offrirvi – gratis – il nostro lavoro, il giornalismo sarebbe finito.

Quello che sta accadendo in Italia, in Europa e nel

mondo dimostra però che i bravi giornalisti e i buoni giornali servono ancora.

Riassumendo: se Facebook, per proteggerci dalle notizie false, ci chiede di svolgere il lavoro dei giornalisti, perché non acquistiamo un giornale? Copia di carta o abbonamento digitale: vanno bene tutt'e due.

L'influencer è un altro mestiere

La ragazza è tedesca, timida, bionda e graziosa. Lisa Hahnbück, *fashion blogger* e influencer, viene da Düsseldorf. In chiusura della presentazione di MIDO – il più grande evento mondiale dedicato al settore dell'*eyewear* (occhiali, in milanese contemporaneo) – dice con la voce flautata: «Sui giornali e sulle riviste i prodotti sono sempre tutti buoni e tutti belli. Noi invece raccontiamo la verità». Applausi in sala.

Il vocabolo «influencer» è entrato nella lingua italiana dal 2012. Così, almeno, certifica il dizionario Devoto-Oli. Si tratta di «una persona in grado di influenzare i gusti e le scelte di un determinato tipo di pubblico». Il dizionario avrebbe potuto aggiungere: utilizzando quasi sempre internet, in particolare i social. Il pubblico segue gli influencer; la pubblicità li ama; i marchi li corteggiano. Ma, se ci pensate, è bizzarro: la gente diffida di quanti dovrebbero garantire un giudizio imparziale; e si fida di chi offre apprezzamenti a pagamento. Forse dovremmo chiederci perché.

Gli influencer si occupano di moda, tecnologia, cucina, bevande, sport, automobili e molti altri prodotti e servizi. Non è, di per sé, una novità. Da tempo i marchi, per farsi pubblicità, ingaggiano personaggi noti. Ovviamente li pagano, poco o tanto, secondo la popolarità e il mercato. Quand'ero bambino, nessuno pensava che l'attore Ernesto Calindri si divertisse a sorseggiare un Cynar in mezzo a un incrocio («Contro il logorìo della vita moderna!»): era un lavoro, il suo. Oggi nessuno crede che George Clooney beva tanti caffè o Alessia Marcuzzi butti giù tutto quello yogurt per amore dei rispettivi prodotti. Hanno firmato un contratto. L'operazione è chiara.

Le attività promozionali di influencer e blogger – le due attività viaggiano spesso insieme – sono meno trasparenti, diciamo. Al punto che è dovuta intervenire l'autorità europea, chiedendo di indicare quando una foto su Instagram, per esempio, serve a pubblicizzare un prodotto. Non è bastato, e non poteva bastare, perché il nuovo mercato è ancora troppo fluido.

Domanda: alla gente interessa tutto questo? Meglio ancora: il pubblico si rende conto che, dietro l'apparente spontaneità degli influencer, c'è una attività commerciale, con tanto di listini prezzi, fatture, cambi-merce (se ti fai fotografare con questa borsa, te la regalo)? Attività legale, per carità; ma dichiarata malvolentieri. Lo abbiamo capito conducendo un'inchiesta su 7. Non è stato facile trovare qualcuno che spiegasse gli accordi commerciali, le tariffe e i contratti sottostanti.

Questa incertezza fa comodo a molti. L'apparente spontaneità, infatti, vende bene. Lo hanno capito, prima di tutti, le case di moda, che hanno attirato a sé i blogger. All'inizio è bastato lusingarli (prime file, inviti, qualche regalo). I più bravi sono diventati professionisti, e oggi emettono fattura. Che le case di moda saldano volentieri: quelle fotografie, quelle storie e quei commenti entusiastici servono a vendere i prodotti.

È curioso che i giornali abbiano scritto così poco della questione. Sono infatti le prime vittime di quanto sta accadendo. Il mercato della pubblicità digitale – lo abbiamo appena ricordato – è dominato da Facebook e Google; l'attivismo di influencer e blogger rischia di occupare quel che resta. La concorrenza è sacra, ovviamente. Ma è bene che i lettori, gli utenti e i consumatori conoscano la situazione. Accade, invece, questo: gli influencer lavorano su commissione, e vengono percepiti come spontanei; i giornalisti, pur tra difficoltà e condizionamenti, provano a esercitare il proprio senso critico.

Non ci sono alternative: facciamo male il nostro mestiere oppure il pubblico non è interessato alla questione. Forse sono vere tutt'e due le cose: e non sarebbe una buona notizia.

E qualcosa rimane

Il bar d'angolo tra via Lanino e via Cola di Rienzo, a Milano, tiene il «Corriere della Sera» sul frigo dei

242

gelati. Anche d'inverno, quando i gelati non ci sono. Ma c'è il frigo, spento, probabilmente per fornire un appoggio al giornale. È un onore. Il frigo dei gelati è l'ultima ridotta del giornalismo quotidiano popolare. Ha avuto un ruolo importante, per molti di noi. Se mi sono innamorato del mestiere non è grazie a un corso della Columbia University (che peraltro non ho mai frequentato). È perché negli anni Settanta, al bar Garibaldi di Crema, il proprietario teneva «Il Giorno» sul frigo dei gelati, io leggevo Gianni Brera e Giorgio Bocca e li trovavo fantastici.

Voi direte: «Bella forza, c'erano tre canali televisivi, non c'era internet, e voi dovevate star lì a far la posta alle ragazze che prendevano la corriera per Orzinuovi, non potendo agganciarle via WhatsApp». Vero anche questo. Ma resta un fatto: i giornali sono formativi. Per tutti, non solo per uno studente che sogna di fare il giornalista. Fate una prova. Leggete con attenzione il «Corriere» (magari un giovedì, aggiungendo 7!). A cena, quel giorno, vi accorgerete di poter parlare di politica e di economia, di cronaca e di libri, di cinema e di attualità. Stupirete gli amici, sarete stupiti voi stessi. Vi renderete conto di essere informati, di sapere le cose. E sapere le cose, da che mondo è mondo, è un vantaggio.

La lettura consente di conoscere i dettagli di una questione, di approfondirla, di giudicarla. Aiuta a scegliere un film, un libro, un viaggio, un investimento, un'alimentazione invece di un'altra. È una forma di studio. E lo studio paga, sempre. Sapere le cose permette di cogliere le opportunità, di evitare gli errori, di lavorare meglio. Ogni volta che trovo il tempo di leggere attentamente un quotidiano o un settimanale – in viaggio, spesso – mi accorgo di imparare qualcosa e mi vengono nuove idee. Gli inglesi hanno una bella espressione: *food for thought*, cibo per i pensieri.

Certo, è una battaglia difficile. Ma le battaglie difficili sono, spesso, le più interessanti. Se hanno un senso, naturalmente. E la battaglia per l'informazione ce l'ha. Una nazione informata è, e resterà, una nazione libera. Il giorno in cui saremo solo contatti pubblicitari, smetteremo di essere cittadini.

Aperti e chiusi

Gli struzzi non infilano la testa nella sabbia quando hanno paura. La leggenda risale a Plinio il Vecchio, ma si tratta di una fandonia (tutt'al più, gli uccelli più grandi del mondo abbassano il becco per cercare cibo a terra). Perché questa fantasia regge così bene? Perché rimuovere la realtà che ci circonda è un'attività popolare, da sempre. La praticano gli umani, però. Non gli struzzi.

Sta accadendo nelle democrazie, non solo in Italia. Il mondo ci confonde e ci spaventa. La sabbia sotto cui nascondiamo la testa oggi ha due nomi: nazionalismo (che non è amor di patria) e sovranismo (che non è orgoglio nazionale). A immense questioni globali – immigrazione, commerci, conflitti, ambiente –

noi opponiamo modeste soluzioni locali. È accaduto durante la campagna vittoriosa per la Brexit, accade con *America First!* di Donald Trump, speriamo non accada con *Prima gli italiani!* di Matteo Salvini. La proposta è simile: barrichiamoci in casa, e speriamo passi la tempesta.

Perché queste soluzioni, a prima vista, appaiono attraenti? Perché sono rassicuranti. Ci convincono che la risposta è semplice e a portata di mano: è solo una questione di buona volontà. Stringiamoci a coorte, restiamo uniti, viva noi e abbasso gli altri! Mai un'autocritica, soltanto ostilità. Le armate, le tifoserie e le società chiuse funzionano allo stesso modo.

Bill Emmott – inglese, buon conoscitore dell'Italia, autore di *Il destino dell'Occidente* – spiega così il paradosso di questa epoca populista e ribelle: «Gli aspiranti fautori del cambiamento dovrebbero essere amici dell'apertura, mentre invece le voltano le spalle e scelgono di chiudere le porte della nostra società. Arrestando così il cambiamento, anziché promuoverlo». Se vogliamo dare una possibilità ai cittadini, prosegue, «dobbiamo sfidare interessi egoistici di oligarchi e plutocrati esponendoli alla concorrenza, al cambiamento tecnologico e sociale, a idee nuove e rivoluzionarie».

Qualcuno starà pensando: la società aperta – agli scambi, alle comunicazioni, ai commerci, alle conoscenze – l'abbiamo provata. La chiamavate «globalizzazione», e ha favorito solo una minoranza. C'è del vero: la globalizzazione – parola magica a cavallo del secolo – ha lanciato la Cina e risollevato l'India; ma in Occidente ha provocato scompensi. Pochi hanno guadagnato molto; molti hanno guadagnato poco; tanti ci hanno rimesso. La finanza (finora) e i colossi del web (oggi) si sono abbuffati; tutti gli altri hanno piluccato. La società aperta, però, è un'altra cosa. È quella sognata da Ralf Dahrendorf, che ho avuto la fortuna di conoscere. Tedesco di nascita, inglese per scelta, europeo per vocazione, allievo di Karl Popper, era capace di sintesi formidabili. Nel 1989, in una lezione a Berkeley, disse: «Il mondo non è semplice, né dovrebbe esserlo. È intenso perché è complicato. Facciamocene una ragione».

Diffidate dei semplificatori che sbarrano porte e finestre: vogliono soffocarvi. Lasciate che nelle nostre case, e nelle nostre teste, entrino aria fresca e idee nuove. Giornali, libri, televisione, radio e rete sono finestre indispensabili. Ma qualcuno deve spalancarle. Il compito dei giornalisti non è esaurito: la società aperta, senza media professionali e liberi, chiude.

Ricordate Willy il Coyote? Correva velocissimo e non s'accorgeva che l'altopiano era terminato: sotto di lui, il vuoto. Il giornalismo oggi si trova in quella posizione. È andato avanti a lungo su un terreno solido: ora è sopra il precipizio. Tornare indietro è impossibile. Ma, a differenza di Willy il Coyote, noi giornalisti abbiamo in dotazione un paracadute: il nostro mestiere.

Sarà il caso di aprirlo, prima che sia tardi.

12
Andare e tornare

La seggiola scomoda

Questo libro è dedicato anche ai miei genitori. Mamma Carla se n'è andata nel 1997: troppo presto. Papà Angelo, detto Gino, nel 2016. Una domenica di marzo. Mancavano pochi mesi ai cent'anni. Ho trovato sul tavolo rotondo davanti al televisore alcune pagine del «Corriere», con i miei articoli annotati e – come sempre – il voto. Ultimamente era diventato magnanimo, ma negli anni ho preso le mie insufficienze.

Sono giornate formidabili, quando se ne va un genitore. Terribili, ma formidabili. La morte, nella sua semplicità, è didattica. La vita ti spiega come funziona: tu devi solo abbassare la testa e ascoltare. Un vecchissimo papà ha lasciato a me, ai miei fratelli e alla nostra famiglia una lezione che lui amava riassumere in una parola: solidarietà! Col punto esclamativo.

Il vocabolo gli piaceva molto. L'abbiamo trovato incollato sulla scrivania notarile, la stessa occupata dal 1943: settantatré anni. Solidarietà! Vogliatevi bene, aiutatevi a vicenda, distribuite le cose secondo necessità, ascoltando il cuore e non il codice. Il testamento è solo una guida. Papà ripeteva a chiunque volesse ascoltare (anche a tutti gli altri, a dire il vero): «Chi aspetta di fare il testamento perfetto morirà senza testamento!». E lascerà dietro di sé inutile incertezza.

Il notaio Severgnini aveva una concezione paterna del mestiere. Sosteneva che i redditi di un notaio sono giustificati solo se riescono a evitare incomprensione nelle famiglie, se le aiutano a prendere decisioni, se le liberano dall'ansia. Altrimenti, la figura del notaio diventa inutile: e non durerà.

Diversi agricoltori cremaschi – siamo una famiglia di terra e di pianura – mi hanno raccontato cosa accadeva quando andavano da papà per il testamento (ne aveva in deposito più di tremila, poi distribuiti tra i colleghi del distretto). Il notaio Severgnini chiedeva che venissero con la moglie, li faceva sedere e poi diceva, in dialetto: «Raccontatemi di voi e della vostra famiglia, non abbiamo fretta. Perché, se non vi conosco, come posso consigliarvi?». Le successioni curate da lui, guarda caso, filavano lisce. «In tribunale per questioni di eredità? Cinque clienti in tutta la carriera!» raccontava orgoglioso.

Non va così, purtroppo, in Italia. Molte famiglie – sempre di più – sono squassate da litigi e incomprensioni per questioni ereditarie: ognuno di noi ne conosce, e si dispiace. Certo: ogni caso è diverso, le circostanze cambiano, le spiegazioni abbondano. «Le mogli dei figli maschi sono fondamentali» sosteneva papà. «Dalle cognate dipende l'armonia delle famiglie.» E quando lo accusavo di generalizzare, si scocciava. «Non è un'opinione, è una statistica» sbottava.

C'è qualcosa di inquietante nel modo in cui tanti italiani scelgono di convivere con l'amarezza. Gente con molti soldi, gente con meno soldi, gente senza soldi: l'incomprensione non è una questione finanziaria, e aumenta. L'ostilità, la rigidità e l'aggressività sono diventate il marchio di molte famiglie. Ognuno convinto d'aver ragione, nessuno disposto a fare il primo passo: «Basta, che senso ha? I nostri genitori ci hanno lasciato immobili e risparmi perché vivessimo meglio, non perché ci scannassimo tra noi».

Chissà, forse manca un padre, o qualcuno che possa sostituirlo. Qualcuno che si assuma il compito di impedire i conflitti o di risolverli. I libri e i film sull'assenza del padre si moltiplicano: da Knausgård a Moehringer, da Scurati a Ciabatti, da Virzì a Verdone. Quasi sempre parlano di padri distratti, padri in fuga, padri in libera uscita, padri giovani o che s'illudono d'esserlo ancora. Ma ci sono anche gli altri. I padri vecchi e fragili che non lasciano per distrazione, ma per raggiunto limite di età. E, quando se ne vanno, lasciano un vuoto.

C'è un *pater familias* che va oltre la biologia e il diritto privato. La paternità è un programma, «forse il primo programma», spiega lo psicoanalista Luigi Zoja in *Il gesto di Ettore*. La paternità si sceglie, e non ha età. C'è sempre un modo di rendersi utili.

Nelle cascine lombarde c'era una seggiola bassa, vicino al fuoco, per il più anziano della famiglia: era un modo per dirgli che contava ancora, e qualcuno sarebbe venuto dopo di lui, e si sarebbe seduto lì. La seggiolina – l'ho provata – non è comoda. Forse per quello, oggi, molti rifiutano d'occuparla. Ma poi è un guaio: le famiglie si girano in cerca di uno sguardo o di un consiglio, e non vedono nessuno. Nostro padre Angelo, invece, quella sedia l'ha occupata con passione fino alla fine. Quando qualcuno passava di lì, ripeteva: «Solidarietà!».

Ora che ci penso: chissà che voto prenderebbero queste pagine. Non lo saprò mai.

Crema è il mio film

Crema è la mia città. Offre cortili nascosti e chiese accoglienti, imbattibili tortelli e umidità romantica. Il nonno materno – Paolo Tonghini, medico condotto sciamanico e scacchista per corrispondenza – consigliava ai giovani colleghi di dedicarsi alla reumatologia: il lavoro non sarebbe mancato.

Le nostre anime sono bagnate, le strade strette, la campagna ampia, le ragazze così belle che costituiscono un'attrazione turistica (da giovane, assistendo all'afflusso ininterrotto di coetanei in amore dalle località vicine, avevo scritto un articolo su «La Provincia»: *Siamo la Svezia della Lombardia*). Dolce solo nel nome, Crema non spinge alla pericolosa glicemia dello spirito, come certe cittadine italiane costrette a vivere di turismo. Il destino geografico ha voluto che fossimo equidistanti da centri attraenti come Milano, Bergamo, Brescia, Piacenza, Pavia. E Cremona, nostra amata rivale: noi grintosi, loro morbidi; noi pratici, loro filosofici; noi lombardo-veneti, loro quasi emiliani.

Il mio studio si affaccia sulla piazza del Duomo. Da anni ascolto comizi e cantanti, assisto a corteggiamenti e fiere, guardo il cielo cambiare colore dietro il Torrazzo. La casa apparteneva alle mie zie profumiere, Francesca a Laura, che per noi erano come due nonne: mia sorella Paola, mio fratello Francesco e io eravamo spesso a casa loro, e da bambino mi lasciavano alla cassa a dare il resto alle clienti. In cambio ricevevo scatole di «campioncini» gratuiti di profumi e creme di bellezza che vendevo nei mercatini in montagna. Con il ricavato, acquistavo galline che rivendevo allo zio in campagna. Poi compravo una tenda da campeggio. Ho avuto un'infanzia commerciale, e ne vado orgoglioso.

Il mio studio si trova in quello che era il salone delle zie. Una stanza, presente in tante case italiane, che non veniva mai usata e raramente riscaldata: una sorta di tempio, pieno di ceramiche e divani, in attesa di ospiti che non sarebbero mai venuti. Perché, quando arrivavano, venivano portati in cucina, dove si stava più comodi. Nella penombra del salone – le imposte si tenevano chiuse, anche quella sul balcone – ricordo due barboncini di pezza, grandezza naturale, uno bianco e uno nero. Non abbaiavano, non mangiavano, non sporcavano. Piccoli cerberi innocenti, a difesa di un decoro che nessuno metteva in discussione.

Oggi quelle finestre aperte sono quadri luminosi sulla piazza, e cambiano di continuo. Li dipinge la gente, la stagione, l'ora del giorno, il cielo. I miei ospiti rimangono incantati: come riesci a lavorare? Mi giro e guardo lo schermo del Mac. Ma so che Crema è lì, e mi protegge le spalle.

Mafalda, la mamma novantenne di un amico d'infanzia, abita dall'altra parte della piazza. Qualche tempo fa ha iniziato a raccontare di un giovane e fascinoso attore americano, tale Tim, che la mattina passava a prenderla per andare a bere un caffè. Il mio amico Stefano – medico e docente universitario, ora residente a Bologna – era preoccupato e vagamente in imbarazzo. «Sai com'è, la conosci. Mia mamma ha una fervida immaginazione...» diceva. A lei questa diffidenza dava fastidio, e insisteva: «È vero! Tim passa a prendermi per il caffè. Non mi invento mica le cose, io!».

Aveva ragione. Come ho già spiegato, Tim altri non era se non Timothée Chalamet, protagonista ventiduenne di *Chiamami col tuo nome*, dove interpretava il ruolo del giovanissimo Elio, per cui è stato candidato all'Oscar come miglior attore nel 2018. La pellicola ha ricevuto altre tre nomination, tra cui miglior film. Ne ha vinto uno, per la migliore sceneggiatura non originale di James Ivory, il regista di *A Room with a View*. Bello sapere che, dalla sua camera letteraria, la vista è cambiata: ora c'è Crema al posto di Firenze.

Le riprese, come ho raccontato, si sono svolte nei dintorni e nel centro di Crema, dove il regista Luca Guadagnino, originario di Palermo, si è trasferito alcuni anni fa. Il cast e la troupe, per un certo periodo, hanno fatto base in città. Chalamet aveva preso in affitto un appartamento in piazza del Duomo, dove abita la signora Mafalda. Che, per una strana coincidenza, porta lo stesso nome di uno dei personaggi del film, la domestica nella grande casa di campagna. Non credo che la mamma del mio amico sia andata a vedere questa storia di formazione e d'amore gay. Ma si sente comunque lusingata.

Chiamami col tuo nome, adattamento cinematografico del romanzo di André Aciman del 2007, è ambientato nell'estate del 1983. Il giovane Elio, interpretato dal newyorkese Chalamet, si trova in Italia per le vacanze estive con i genitori, una coppia di professori dell'alta borghesia (Michael Stuhlbarg e Amira Casar). Il padre, archeologo, invita il dottorando americano Oliver (Armie Hammer) a lavorare con lui per alcune settimane. All'inizio Elio non rimane colpito dall'ospite, anzi lo trova irritante. Ma ben presto inizia a sentirsene attratto, e le cose cominciano ad accadere.

Quella raccontata nel film è una storia d'amore. Gli attori sono adeguati – chi più, chi meno – ma la protagonista è Crema – le piazze vuote, i vicoli, la luce estiva, le ombre inattese – e la campagna che la circonda: le curve tra i fossi, i fontanili, il verde dei gelsi e dei pioppi, le vecchie case ricche di fascino e povere di manutenzione, le ragazze che spariscono all'orizzonte, dondolando sulle biciclette. Non ho mai incontrato Luca Guadagnino, ma devo ammettere che è stato bravo. Ha visto Crema con la freschezza di chi è appena arrivato. Il napoletano Paolo Sorrentino ha fatto lo stesso con Roma e il risultato, *La grande bellezza*, ha vinto l'Oscar per il miglior film straniero nel 2014. Nessun regista romano avrebbe potuto fare altrettanto. Bisogna sorprendersi per sorprendere.

Dalle finestre del mio ufficio si vede bene il posto dove i protagonisti di *Chiamami col tuo nome* si parlano sinceramente per la prima volta. Il Comune di Crema ha lasciato il tavolino, le sedie bianche e le biciclette originali: incatenate, perché qualche cinefilo entusiasta non se le rubi. Il film ha portato visitatori a Crema che, come ho detto, non è mai stata una meta turistica. Tedeschi e baresi, russi e torinesi col telefono in mano e il sorriso pronto per il selfie.

L'ufficio del turismo, paziente, prova a spiegargli la nostra storia. Crema venne fondata nel VI secolo, diventò un libero Comune orgoglioso, fu distrutta dall'imperatore Federico Barbarossa (con l'aiuto dei cremonesi) nel 1160, venne ricostruita nel 1185, passò ai milanesi Visconti per un secolo, fu conquistata dalla Repubblica di Venezia nel 1449; e insieme alla Serenissima è rimasta, con reciproca soddisfazione, per tre secoli e mezzo. Lo dimostrano i portici, la gastronomia, le tradizioni (la festa di Santa Lucia) e il carattere: Crema era terra di frontiera – dopo l'Adda c'era lo Stato di Milano – e i veneziani ci mandavano gente tosta. Il leone di San Marco campeggia ancora sul nostro Palazzo comunale e sul Torrazzo, la porta di accesso alla piazza del Duomo. Quando arrivarono in città, nel 1797, i dragoni francesi di Napoleone staccarono entrambi i leoni a picconate e li gettarono via, ma i cremaschi andarono a riprenderseli e li rimisero a posto. Là stanno, ancora oggi, ammaccati e orgogliosi.

Chissà se gli stranieri che arrivano capiranno che questa è un'Italia diversa, ma non meno attraente. Non è la solita confezione di vigne, olivi, limoni e colline al tramonto. I limoni a Crema li vendono dal fruttivendolo, il vino lo compriamo al supermercato e le colline non ci sono. Ci muoviamo nel piano e nel verde, come palle da biliardo. Abbiamo fabbriche orgogliose (cosmetica, meccanica di precisione) e stalle piene. Coltiviamo grano e mais. Alleviamo vacche e maiali, produciamo latte e salami. A Crema non vi imbatterete in un americano a ogni angolo di strada, come a Cortona. Non troverete un inglese dietro ogni cespuglio, come nel Chianti. Non siamo il calmante delle ansietà anglosassoni, come tanti luoghi in Umbria e in Toscana.

Crema è meno spettacolare, ma fa parte dell'Italia indistruttibile. Offre la giusta miscela di praticità, imprevedibilità e rassicurazione sensoriale.

Ogni anno, in estate, invitiamo amici in campagna da noi. Gli stranieri, soprattutto, rimangono incantati. Penserete che io sia di parte; e lo sono. Ma credo davvero che la mia città rappresenti l'Italia, non meno di Venezia e di Firenze. Certo, quelle sono città mozzafiato; ma i viaggiatori vogliono respirare, ogni tanto.

La legge della terra e dell'acqua

Eleonora ha festeggiato il matrimonio con Francesco nel posto dove Ortensia e io ci siamo sposati, trentadue anni prima. La casa di Palazzo Pignano è bellissima, come nostra nipote. Per lo stesso motivo: in molti le hanno voluto bene.

La campagna cremasca è tagliata dai fossi e punteggiata di case antiche: salvate, vendute, comprate, restaurate, curate o trascurate. Amate, prima o poi. I cancelli sbilenchi, il glicine sulla ringhiera, i tigli all'ingresso, i faggi e le querce sul fondo. Il tavolo sulla ghiaia e le finestre che danno sul prato.

La nostra casa d'estate sta ai Mosi, una frazione di Crema. Ci trasferiamo in bicicletta a fine maggio, rientriamo in settembre. Il nome della località viene dal tedesco *Moos*, che vuol dire muschio. La zona è stata per millenni una distesa d'acqua e faceva parte del lago Gerundo. Crema, poco distante, rimaneva all'asciutto su un'isola, come indica la radice del nome (*crem*, zona elevata). La falda acquifera si trova un metro sottoterra: le case, ai Mosi, non hanno cantine, ma erba e piante crescono rigogliose.

La nostra magnolia è immensa. Sembra sbucare da un paesaggio della Louisiana, non dalla campagna cremasca. Ha centocinquant'anni, o giù di lì. È un portento di rami e di fiori, un iceberg verde contro il cielo azzurro. Alcuni amici, quando vengono a trovarci, corrono ad abbracciarla. Lascio fare: anch'io, quando devo iniziare cose per me importanti (un programma, uno spettacolo, un giornale, un libro come questo), riunisco tutti intorno al tavolo sotto la magnolia. Le foglie aiutano a pensare.

I nostri genitori hanno acquistato la casa dei Mosi nei primi anni Settanta dai Samarani, una famiglia di agronomi e di avvocati. Sono stati loro a proporgliela, insistendo molto. «Sarete felici» hanno detto. Avevano ragione.

Ai Mosi abitiamo con la famiglia di mia sorella Paola, che della casa è comproprietaria, e la ama quanto me: mio cognato Silvio, i miei nipoti Francesco e Carlo, che per mio figlio Antonio sono come due fratelli. Carlo e Carmen, una ragazza spagnola conosciuta studiando in Olanda, nel 2018 hanno avuto un bambino, Bruno. Sono entrambi agronomi, lui specializzato in orticoltura, lei in foreste. Ai Mosi ci sarebbe da fare per loro, tra piante e orto, ma i ragazzi sono professionisti, non possono indulgere nelle fantasie bucoliche di genitori e zii.

Cinque camere al primo piano, affacciate sul verde, una scala col passo giusto, una soffitta spaziosa.

A pianterreno una grande stanza col camino e la poltrona da lettura; la sala da pranzo coi mobili e i diplomi degli zii, dei nonni e dei bisnonni; un ingresso, un piccolo studio e una grande cucina che ipnotizza i nostri amici stranieri (quando Ortensia e mio cognato Silvio preparano la cena, loro fotografano e commentano, invece di aiutare).

Abbiamo rimesso a posto la casa nel 1996, subito dopo il ritorno dagli USA. C'è voluto un anno. Abbiamo rifatto i tetti e i pavimenti (usando le tavelle di cotto del sottotetto); abbiamo portato l'acqua in cucina (stava in uno sgabuzzino) e abbiamo ricavato tre bagni, uno di sotto e due di sopra (non ce n'erano, un tempo i servizi igienici erano quasi sempre esterni). Ho contribuito alla ristrutturazione con i diritti d'autore di *Un italiano in America*. Mi piaceva che un libro su una casa americana facesse risorgere una casa italiana.

Per questo, in fondo al giardino, abbiamo messo un putto di cemento, come quello con cui si apre e si chiude il racconto, due colonne di granito e un quadrato di piastrelle azzurre. Secondo i nostri amici, un discutibile esempio di kitsch lombardo; secondo noi un simbolo della casa oltre l'oceano. Il container in legno del nostro trasloco da Washington D.C. – c'è ancora scritto SEVERGNINI CREMA ITALY – è diventato una casetta da gioco per bambini, con il tetto in coppi, la porta e due finestre. Ci giocava Antonio da piccolo; ci giocheranno, chissà, i suoi figli; e qualcuno gli dirà del viaggio, del libro e dei nonni.

Oggi Antonio ha ventisei anni ed è un imprenditore agricolo. Siamo orgogliosi di lui. Immagino lo sia anche la lunghissima filiera di Severgnini che, per secoli, ha coltivato i campi intorno a Crema. Siamo risaliti fino al 1520. In parrocchia a Offanengo – dov'è nato mio padre, quattro secoli dopo – è registrato un Giõ Jacomo Severgnini, contadino. Dopo di lui sono venuti Orazio, Silvestro, Orazio, Giõ Batta, Orazio, Silvestro, Giõ Batta, Francesco, Antonio, Francesco, Giuseppe, Angelo, Giuseppe e Antonio.

Mio figlio Antonio ha resuscitato una proprietà di famiglia a lungo trascurata. Cinque ettari di acqua sorgiva e dieci ettari di campi, piante e stagni, vicino al fiume Serio: la pianura com'era, intatta. La cascina è diventata un bar-ristorante, ci sono tavoli davanti all'acqua trasparente, panchine nel verde, barche per la pesca di lucci e boccaloni. Ci sono carpini sulla discesa, un gelso all'ingresso e salici sulle rive. Si chiama Lago del Serio, quel posto magnifico, e l'ha creato lui. Era un ragazzo, la terra e l'acqua l'hanno aiutato a diventare un uomo.

Siamo gente umida di carattere asciutto.

Ogni generazione, un Severgnini è autorizzato a cimentarsi in altre attività – farmacista, notaio, profumiere, insegnante, arciprete, procuratore del re, perfino giornalista e scrittore – ma i campi non si abbandonano. Mia fratello Francesco, più giovane di sette anni, ha vissuto a lungo in Brasile, dove ha acquistato un albergo e diversi immobili; ma ora è tornato, e siamo contenti: la terra ha chiamato indietro anche lui. Ho trovato, in una scatola di legno dentro una cassapanca, monete romane alla rinfusa. I Severgnini non sono numismatici. Sono quasi certo che per secoli siano sbucate tra le zolle, mentre i nostri antenati aravano la pianura.

In casa di una zia farmacista – Franca, nata nel 1915, trasferita a Milano, dove aveva sposato Aldo Borlenghi, poeta e critico letterario – ho invece trovato un volumetto con questi versi, sottolineati.

Difendi i campi tra il paese
e la campagna, con le loro pannocchie
abbandonate. Difendi il prato
tra l'ultima casa del paese e la roggia.
I casali assomigliano a Chiese;
godi di questa idea, tienila nel cuore.
La confidenza col sole e con la pioggia,
lo sai, è sapienza santa.
Difendi, conserva, prega!

Vengono da *Saluto e augurio*, l'ultimo componimento dell'ultima raccolta di Pier Paolo Pasolini, pubblicata nel 1975. I nostri antenati agricoltori non scrivevano poesie, che io sappia, e raramente le citavano. Ma all'autore di questo libro concederanno una deroga. Serve a spiegare perché da quarant'anni scrivo, parto, e riparto, e parto ancora.

Poi torno sempre.

Italiani si rimane.

Ringraziamenti

In un libro come questo i ringraziamenti sono la parte più difficile, per non dire impossibile. Dovrei ringraziare migliaia di persone che mi hanno accompagnato in un viaggio lungo quarant'anni; e non è possibile. Per la mia famiglia c'è la dedica, c'è l'ultimo capitolo e ci sono i molti riferimenti a Ortensia. Anche troppi, dice lei. Ma che ci posso fare? È una compagna meravigliosa da quasi trentacinque anni e un'infallibile consulente: quando ho un dubbio, chiedo a lei.

Un altro ringraziamento va ai molti colleghi che mi hanno incoraggiato, aiutato o sopportato; da alcuni ho imparato molto, anche da quelli che mi mostravano, con i loro errori, cos'era meglio evitare. Sono un giornalista che ama la compagnia dei giornalisti: li trovo interessanti (so che è una malattia professionale, ma non intendo curarmi). Splendidi, inconsapevoli insegnanti sono anche i miei allievi: è una gioia lavorare con loro e capire che il mestiere del giornalismo ha un futuro.

Un ringraziamento speciale a Rosaria Carpinelli, un'amica affidabile, oltre che un'esperta e saggia agente letteraria: quante cose abbiamo fatto insieme! Sono grato al mio nuovo editore Solferino, in particolare a Luisa Sacchi e Carlo Brioschi. Entrambi hanno mostrato generosità e coraggio: sono doti che apprezzo. Prima di chiudere, un grazie affettuoso al mio editore di tanti anni e di tanti titoli, Rizzoli. Gentilmente mi ha concesso di riprendere alcuni spunti presenti in un'edizione aggiornata di *Inglesi*, il mio primo libro.

Indice dei nomi

Indice

Finito di stampare nel mese di ottobre 2018
per conto di RCS MediaGroup S.p.A.
da 🐾 Grafica Veneta S.p.A., via Malcanton 2, Trebaseleghe (PD)
Printed in Italy